CURAIDHEAN SPORS

Uisdean MacIllinnein

Leis gach dùrachd

Uisdean

STÒRLANN • ACAIR

*

Tha Stòrlann Nàiseanta na Gàidhlig a' toirt cothrom co-obrachaidh
dha Acair airson leabhraichean mar seo a ghabhas cleachdadh
anns na sgoiltean a thoirt gu buil.

*

A' chiad fhoillseachadh an Alba
sa bhliadhna 2001 le Acair Earranta,
7 Sràid Sheumais, Steòrnabhagh, Eilean Leòdhais.
Fòn: 01851 703020
Facs: 01851 703294
post-dealain: acair@virginbiz.com
www.acairbooks.com

Deilbhte, dèante agus deasaichte le Acair Earranta
An còmhdach Mairead Anna Nicleòid

Clò-bhuailte le ColourBooks Bail' Ath Cliath

LAGE/ISBN 0 86152 726 7

CLAR-INNSE

Ro-ràdh

Dhan mhòr-chuid san dùthaich seo, tha spòrs a' ciallachadh ball-coise. Tha an dà rud an ìre mhath co-ionnan. Ach an ann mar sin a tha? Agus cò às a tha sinn a' tarraing ar cuid churaidhean san là a th' ann? Mur ann à saoghal spòrs, chan ann à àite sam bith eile, agus cluicheadairean ball-coise gu h-àraidh a' cosnadh suimean airgid a bha, gu ùine nach eil cho fada sin air ais, air a bhith a' cumail stòras nàiseanta ri iomadach dùthaich bhig, bhochd air feadh an t-saoghail. Agus an dèidh dhuinn a bhith a' faicinn na chaidh a dhèanamh an Astràilia aig deireadh na bliadhna 2000 - an dà chuid leis gach farpaiseach aig a bheil a h-uile cothrom bodhaig is slàinte, a bharrachd air na chaidh a dhèanamh le cuid nach eil ach, an iomadach dòigh, lapach nam bodhaigean, ach treun dha-rìribh nan spiorad is nam misneachd - dè an tomhas a tha còir a bhith againn air spòrs?

Carson nach eil, san dùthaich seo, spòrs aig teis-meadhan dealbhachadh slàinte? Carson nach eil barrachd seasamh aig spòrs nar cuid sgoiltean? Carson nach eil spòrs gu fìrinneach air a mheas mar phàirt dhen chultar againn, ged a dh'aidicheadh fichead Ministear spòrs gu bheil spòrs is cultar co-ionnan? Carson nach eil Ministear spòrs fa-leth againn seach fear (no tè aig amannan) a tha fo uallach a bhith a' coimhead as dèidh spòrs, cultar agus dualchas, a tha gu math tric a' strì airson cuibhreann dhen aon sporan. Agus chan eil spòrs a' faighinn ceann reamhar na maraige uair sam bith.

Dè th' ann an spòrs co-dhiù anns an t-saoghal seo far a bheil luchd-riaghlaidh an telebhisein ag ràdh gu feum geamannan ball-coise tòiseachadh aig aon uair deug sa mhadainn Disathairne no aig còig mionaidean an dèidh sia oidhche na Sàbaid? Agus carson nach eil fhios aig a' mhor-chuid againn gun do thog Albannach Cupa na Cruinne ann am farpais ball-coise. B' esan David Valentine à Hawick anns na Crìochan, a bha na sgiobair air buidheann Bhreatainn ann am Farpais na Cruinne de lìg rugbaidh, agus a bhuinig an fharpais am Paris an 1954. Carson nach eil leithid Valentine againn mar churaidh spòrs ma-thà?

Dè th' ann an spòrs?

Sin a' chiad cheist 's dòcha a bhuail orm nuair a thàinig e gu bhith a' dèanamh an taghaidh seo. Agus gu dearbha, seach gur ann a' coimhead air ceud bliadhna a tha an taghadh, tha ceistean mòra ag èirigh mu nàdar spòrs agus mun phàirt a th' aig sin nar dòigh-beatha, thairis air an linn a tha sin.

An iomadach dòigh, 's ann gu math eu-coltach a tha spòrs san là an-diugh an coimeas ri spòrs aig deireadh na 19mh linn. Bha spòrs an uair sin a' ciallachadh sealg is iasgach do dh'uaislean na dùthcha, no 's dòcha bogsadh, ruith no ball-coise dha na h-ìslean. Cha robh ann an cur-seachad ach rud a bha na fhaochadh do dhaoine a bha a' teannadh air Cogadh Mòr. Cha robh sna Gèamaichean Oilimpigeach ach rud gun seadh an coimeas ris an othail agus ris an olc a th' annta an-diugh, air an gràineachadh le drogaichean agus fo spòig luchd an airgid.

Ach cha leig sinn a leas a bhith a' smaoineachadh nach robh curaidhean ann an uair sin, agus ìomhaighean stèidhichte air miann nam pàipearan-naidheachd cuideachd - W G Grace agus leithid Fred Archer agus an aghaidhean air truinnsearan is panaichean, a' sanasachd a cheart cho cinnteach 's a tha curaidhean eleactronaigeach an là an-diugh. Ach a-mhàin gu bheil na suimean airgid a th' aca an-diugh nas coltaiche ri àireamhan fòn na uimhir iomlaid am pòcaid-tòine.

Ma dh'atharraich càil idir an dòigh san robh am mòr-shluagh a' coimhead air spòrs 's e an camara an toiseach agus an uair sin an t-airgead. An telebhisean, a thug gach ìomhaigh a bh' ann, dubh is geal is cugallach, a-steach do thallaichean film an toiseach agus mu dheireadh thall do dhachaighean an t-saoghail. An telebhisean, a dh'aindeoin gach nì, nach toir dhuinn an iomadach dòigh uimhir de cho-fhaireachdainn le luchd-spòrs 's a bheir aon dealbh an dubh 's an geal, ge b' oil air gach èigh is sgreuch a nì an luchd-aithris.

An Tomhas

Chan eil mòran cheistean ann a tha buailteach uimhir de bhuaireadh is de dh'argamaid a thòiseachadh na bhith a' faighneachd cò a b' fheàrr a bha a' cluich do dh'Alba aig ball-coise a-riamh - Baxter, Law, Dalglish, no grunn a ghabhadh taghadh à saoghal a bha gu tur dubh is geal, is am bàlla cho mòr ris a' ghealaich, agus brògan air cluicheadairean coltach ri brògan tacaideach seach na slioparan a th' orra an-diugh.

Tha cuid de thomhasan ann a tha furasta gu leòr an cur an sàs ann a bhith a' comharrachadh churaidhean spòrs - leithid Roger Bannister a ruith mìle fo cheithir mionaidean an toiseach. 'S e sin an seòrsa tomhais far nach eil argamaid; slat-tomhais cho cinnteach ris an diofar eadar òirleach is troigh.

Ach tha an dòigh sam bheil sinn a' tomhas ar curaidhean air a bhith ag atharrachadh thar nam bliadhnaichean a cheart cho cinnteach ri sin. Tha na curaidhean fhèin agus na tha sinn a' sùileachadh bhuapa air a bhith ag atharrachadh.

A bheil a-rèist Steve Redgrave, a ghlèidh còig Buinn Oir aig na Geamannan Oilimpigeach thairis air fichead bliadhna, nas airidh air inbhe curaidh na tha Roger Bannister, Wally Hammond no Iain Botham, a bha uile ann an saoghal iomain gallda, nan daoine cho fad bho shamhla curaidh nan giùlain agus nan saoghal pearsanta 's a ghabhadh tomhas. Agus cia mheud dhe ar curaidhean spòrs a th' air an saoghal fhèin a chur fodha le deoch làidir agus drogaichean, chun na h-ìre far an robh leithid de laigse nan dòigh-beatha air a mheas mar ghnothach nach gabhadh seachnadh no gu dearbh mar bhuaidh a bha feumail agus gan robhaigeadh gu sàr ghnìomh air an raon-chluich? Gu dearbha chanadh cuid nach biodh George Best no Paul Gascoigne air uimhir a dhèanamh mura biodh gu robh iad air an daoraich gach oidhche mus cluicheadh iad. Agus chan eil againn ach ri coimhead air an t-saoghal a bha a' cuartachadh spòrs rugbaidh air feadh na dùthcha gu o chionn ghoirid. Ach tha daoine a' dìochuimhneachadh nuair a bha Best aig àird a chomais, gur ann a bu chruaidhe a bha e ag obair a' trèanadh. An coimeas ris, 's e aingeal a bh' ann an Sir Stanley Mattthews - (fear nach robh a' smocadh no ag òl) ach aig deireadh an là bha sgilean fa-leth aig an dithis, eu-coltach is gu robh iad nan dòigh-beatha.

Aig ìre eile, ciamar a dhèanamaid sgaradh eadar Coe, Ovett agus Cram mur biodh an gleoc? Agus an rachadh aig duine aca gu sìorraidh air ceann a' mhaide a chumail ri Eric Liddell? Agus dè mu dheidhinn gach spòrs far a bheil sgil gach cluicheadair fa-leth gu mòr an crochadh air tomhasan nach eil cho furasta an aontachadh? Ciamar a tha sinn a' tomhas George Best an aghaidh fiù daoine bha a' cluich còmhla ris, leithid Bobby Charlton? Cò b' fheàrr le na dùirn, Henry Cooper no Ken Buchanan? Tha an t-Albannach sin a-nis anns a' Hall of Fame anns na Stàitean Aonaichte airson na rinn e. An e a b' fheàrr le na dùirn na Cooper, a choisinn uimhir de chliù airson Mohammad Ali a chur air a dhruim-dìreach ann an 1963? Agus a bheil tomhas nas fheàrr aig daoine thall thairis air an luchd-spòrs againn na tha, 's dòcha, againn fhèin aig amannan. Tha amharas agam gu bheil.

Agus dè mu dheidhinn luchd-spòrs eile? Bheil na gnìomhan aig Jim Clark nas fheàrr na rinn Stirling Moss no Jackie Stewart fhèin? An robh Harry Vardon na b' fheàrr na Henry Cotton (a ghlèidh trì 'Opens'), Tony Jacklin na b' fheàrr na Colin Montgomerie, a bha na shàr ghoilfear anns an Roinn Eòrpa fad sheachd bliadhna?

Dè mu dheidhinn luchd-cluiche iomain ghallda? A bheil duine an Alba a tha a' cur luach mòr sam bith air a' ghèam sin, a bha ga chluich fad' is farsaing air feadh na Gaidhealtachd aig deireadh na naoidheamh linne deug? Tha daoine buailteach sin a dhìochuimhneachadh; no leis an fhìrinn, chan eil sìon a dh'fhios aca gur ann mar sin a bha. Agus tha Willie Carson an-diugh cho ainmeil ri duine a chaidh air muin eich - fear a rugadh 's a thogadh an Sruighlea.

Chan eil dìth luchd-spòrs air Alba a ghlèidh àrd-urram air feadh an t-saoghail, agus do dhùthaich far nach eil ach còig millean a' còmhnaidh, tha sinn an iomadach dòigh air obair ionmhalta a dhèanamh, agus sin a dh'aindeoin dìth ghoireasan ann an sgìrean iomallach. Tha Peadar Nicol à Siorrachd Obar-Dheadhain, Albannach a tha a-nis a' riochdachadh Shasainn air a bhith na shàr chluicheadair sguais fad bhliadhnaichean, ach chan fhaigh e ach criomag an siud 's an seo air duilleagan spòrs nam pàipearan-naidheachd - pàipearan-naidheachd a tha an ìre mhath air an gabhail thairis gu buileach le saoghal ball-coise.

Tha an taghadh a th' anns an leabhar seo de luchd-spòrs Bhreatainn, a' gabhail a-steach fir is boireannaich a th' air gnothaichean ionmholta a dhèanamh nan raointean fhèin thairis air bliadhnaichean na ficheadamh linne. Tòrr mòr, mar a thuigeadh duine, air an aontachadh leis a' mhòr-chuid mar shàr chluicheadairean no luchd-rèis. Cuid eile a th' air an taghadh airson adhbharan eile - gnìomhan sònraichte ann am mean-spòrs; suidheachaidhean àraidh no ionmholta thaobh na rinn iad agus nan giùlain.

Chan ann a-mhàin anns na Gèamaichean Oilimpigeach a tha curaidhean. Tha iad rin lorg gach seachdain a' gabhail pàirt ann an spòrs gun thuarastal agus gun theachd a-steach ach an toil-inntinn agus an spiorad fhèin, a' buinig an seòrsa càirdeis nach aithnich ach luchd-spòrs agus an cuideachd, a' briseadh asnaichean agus a' dochann a chèile. A' cur an t-saoghail fòpa, leithid Graham Obree a chruthaich baidhsagal ùr-nodha à inneal-nighe sa chidsin.

'S iomadh fear is tè a tha a' fàilingeadh - mar a thachair dha Duncan MacIntyre às a' Ghearasdan a bha an ìmpis Rèis Bheinn Nibheis a bhuinig nuair a thuit e agus an loidhne mu choinneimh. Bhuinig e ged-tà an ath bhliadhna.

Chan eil aonta ri fhaighinn ann a bhith a' taghadh luchd-spòrs is farpaisich à raon sam bith. 'S dòcha gur ann an sin fhèin a tha luach an taghaidh seo, gun toir e air daoine bhith coimhead às ùr air an dòigh sa bheil sinn a' taghadh agus a' luaidh ar cuid spòrs, agus gum bi na gnìomhan a th' air an lìbhrigeadh anns na duilleagan a leanas nam misneachd do dhaoine fad is farsaing iad fhèin a chur air adhart a bheag no mhòr, a bhith a' feuchainn ri làrach dhaoine eile a leantainn.

Aon neach no sgioba?

'S iomadh gnìomh mòr ann an saoghal spòrs a tha an crochadh air gnìomhan aon neach. Ach 's iomadh gnìomh a tha an crochadh air buidheann seach neach fa-leth. An saoghal ball-coise fhèin, tha mar bhuinig Sasainn Cupa na Cruinne ann an 1966, Celtic Cupa na h-Eòrpa an 1967 agus Manchester United trì farpaisean ann an 1999, nan deagh shamhlaidhean air sin. Ach dè am pàirt a bh' aig stiùirichean nan trì sgiobaidhean sin anns na gnìomhan a chaidh a dhèanamh air na pàircean? Sir Alf Ramsay nach d' fhuair meas mòr ach a chaidh a dhèanamh na Ridire; Jock Stein agus Sir Alex Ferguson - tha fhios gu bheil iad fhèin nan curaidhean a cheart cho math 's a bha Bobby Moore, Billy MacNeill agus David Beckham. Agus gu seachd àraidh mar chaidh iad thar nan crìochan aca fhèin (ged nach robh seo buileach cho fior mu dheidhinn Ramsay) airson an saoghal a chur fon casan.

An-diugh ged-tà, 's ann à dùthchannan cèin a tha tòrr dhe na curaidhean spòrs againn. Dh'atharraich sin an toiseach nuair dh'atharraich Breatainn agus a bha uimhir de fhir is de bhoireannaich dhubha a' riochdachadh Bhreatainn, far nach robh aig aon àm ach farpaisich a bha geal, agus iad uile an ìre mhath beartach. An-diugh, tha sgiobaidhean ball-coise na h-Alba làn chluicheadairean à dùthchannan cèin, agus tarraingeach is ged bha e, nuair a dhealbh Oifig a' Phuist stampa ann an 1978 mar shamhla gun do ghlèidh Alba Cupa na Cruinne am ball-coise, ('s beag a bha de dhiù aig Iran agus Peru ann), bha iad ri smaointean is feallsanachd nach tèid a choileanadh gu sìorraidh a-nis, agus cothroman do chluicheadairean òga na dùthcha a' sìor dhol à bith. Agus chan eil againn cuideachd ach ri coimhead ri ar sgioba rugbaidh nàiseanta, a dh'fheumas a bhith a' trusadh an t-saoghail airson chluicheadairean aig a bheil faileas de bhuntanas ri Alba, no sinnsearan a bha a' gabhail 'Guma slàn do na fearaibh'.

San t-saoghal Ghaidhealach againn fhèin, tha sinn nas buailtich a bhith a' tomhas sgiobaidhean mar churaidhean seachad air aon neach - leithid sgioba camanachd Chinn a' Ghiùthsaich a th' air a bhith a' riaghladh fad chòig bliadhna fichead is còrr, no sgioba camanachd an Eilein Sgitheanaich a ghlèidh Cupa na Camanachd airson an aon turas riamh an 1990; no sgioba ball-coise Chaledonian Thistle a chuir Celtic a-mach à Cupa na h-Alba ann an 1999, agus Iain Barnes is Kenny Dalglish a-mach à Paras. Curaidhean uile.

Ach sàr-churaidh na linne? Rinn luchd-amhairc a' BhBC gu math soilleir cò bha sin aig deireadh 1999 nuair chaidh cunntas-bheachd a chumail. Cha b' ann rim fàrdaich fhèin a chuir iad an aghaidh ach ri Aimeireagaidh agus Muhammad Ali - Cassius Marcellus Clay, mar rugadh e ann an 1942 - an duine a bh' air a mheas mar shàr neach-spòrs na linne. Agus bha sin airson an treas uair, agus e air dà dhuais eile dhen aon seòrsa fhaighinn roimhe sin thall thairis. Fear a chaith bhuaithe am Bonn Or a bhuinig e san Ròimh an dèidh do dhaoine cur sìos air air sgàth dath a' chraicinn. Chan eil cus a rachadh às àicheadh leithid de dh'urram a bhuileachadh air, ged bhiodh e furasta Jesse Owens, Pele, Jack Nicklaus, Mark Spitz, no gu leòr a bharrachd a chur air adhart cuideachd. Ach sheas Ali a chòirichean agus còirichean dhaoine eile taobh a-muigh an raoin spòrs aige fhèin - a' diùltadh a dhol dhan arm a shabaid am Vietnam agus a' seasamh còirichean dhaoine fad is farsaing. Sin tomhas fìor shàr neach-spòrs, is chan e a bhith a' ruith no a' leum no a' toirt breab do phìos leathair airson cosnadh gun chèill.

Alba agus spòrs.

Tha trì spòrs an Alba a tha dualach dhuinn, ach a sgaoil thar nan linntean air feadh an t-saoghail - curladh, cluich goilf agus camanachd. An-diugh chan eil ach dhà dhiubh sin a tha rin lorg air feadh an t-saoghail, agus 's ann am ball-coise as motha a dh'fhàg Alba làrach air an raon. An-diugh, chan eil cluich goilf fiù air aithneachadh mar thè dhe na seachd prìomh spòrs a th' air an comharrachadh airson taic san Institiut ùr spòrs nàiseanta.

A-rithist mar dhùthaich a tha beag sluaigh, chaidh iomadach neach thar nan crìochan gu aithne is cliù a bhuinig feadh an t-saoghail - Denis Law, Jo

Jordan is Steve Archibald (a ghabh àite Diego Maradonna ann am Barcelona) am measg ghrunn eile, a' cluich aig àrd-ìre air feadh na Roinn Eòrpa. Ach gu leòr eile a bha àraidh is ainmeil nan dòigh fhèin aig an taigh - leithid Patsy Gallacher a chuir car a' mhuiltein dhe fhèin agus am bàlla eadar a dhà chois airson tadhal a chur aig cuairt dheireannaich Chupa na h-Alba an 1925 agus Jimmy Johnstone a chaidh a-mach le geòla agus smùid a' chofaidh air oidhche mus do chluich Alba gèam mòr ball-coise.

'S e cnag na cùise gu bheil spòrs ann an iomadach dòigh air a bhith na shamhla dhuinn am Breatainn, agus gu cinnteach an Alba, air rudan eile a dh'fhaillich òirnn - a' bhuaidh a bh' againn air an t-saoghal an iomadach dòigh tro mhalairt is cogadh fad na h-ìmpireachd, ach a-nis air raointean-cluich, an amair-snàmh agus aig astar ann an càraichean.

Ach dè an luach a tha sinn gu fìrinneach a' cur air spòrs agus air dualchas? 'S e glè bheag de chamanachd a chithear ann an Taigh-Tasgaidh Nàiseanta na h-Alba. Tha deich bliadhna fichead on chaidh tòiseachadh air taigh-tasgaidh nàiseanta ball-coise a chruthachadh, a tha air tighinn gu ìre a-nis aig cosgais £8 millean am Pàirc Hampden. Duine sam bith a shiubhail thall thairis, chunnaic iad an luach a thathas a' cur air eachdraidh spòrs, agus an t-airgead a thathas a' cur mu choinneimh.

Tha an Riaghaltas a th' againn an Dun Eideann ag ràdh gu bheil iad a' cur spòrs aig cridhe poileasaidh slàinte na dùthcha, ach air an là a chaidh dearbhadh anns a' Phàrlamaid gu bheilear a-nis a' cur £100 millean a-steach ri spòrs anns an dùthaich seo, cha do dh'fhan ach 14 ball-pàrlamaid san t-seòmar airson an deasbaid. Chuala na dh'fhan gum b' fheudar dha luchd na camanachd aig Alba an lèintean a thoirt dhachaigh leotha an dèidh cluich an aghaidh na h-Eireann air beulaibh 60,000 neach, a chionn 's nach robh sgillinn aig Comann na Camanachd airson lèintean ùra a cheannach.

Tha Institiut spòrs a-nis stèidhichte an Alba, air an aon shamhla ris an t-seòrsa seasamh a th' aig spòrs an Astràilia. Tha coidsichean Astràilia air a bhith tighinn a dh'Alba nan dròbhaichean a dh'innse dhuinn mar tha còir againn a bhith dèiligeadh ri spòrs. Chanadh cuid gu bheil cus tomhais is cudthrom ga chur air buinn òir agus Gèamaichean na Co-fhlaitheis agus Oilimpigs. Cha robh uimhir de dh'airgead riamh ga chosg air spòrs. Ach a bheil duine againn nas fhallaine air sgàth sin? Am bi curaidhean ùra a' nochdadh airson luach an airgid a tha seo a dhearbhadh? An ceann ceud bliadhna eile cò iad na curaidhean spòrs agus cò às a thig iad?

An tig iad bhon Ghaidhealtachd agus bho na h-Eileanan Siar agus am bi iad a' cluich rugbaidh do dh'Alba cleas Beth NicLeòid? Cia mheud cluicheadair ball-coise bhon sgìre a ruigeas àrd-ìre eadar-nàiseanta, cleas Duncan Shearer?

Ma gheibh iad cothrom na Fèinne le taic bhon riaghaltas, bho ùghdarrasan ionadail agus bho bhuidhnean spòrs anns an sgìre, chan eil adhbhar carson nach biodh fada bharrachd churaidhean spòrs a' togail orra airson an saoghal a chur fon casan.

Eric Liddell.

Liddell, *Eric* (1902-1945)

A rèir mhòran, b' e Eric Liddell an lùth-chleasaiche a b' fheàrr riamh a thàinig à Alba. Gu dearbha bha e aig àrd-ìre anns an spòrs airson ruith aig astar airson 35 bliadhna, gnìomh nach deach agus nach tèid a dhèanamh a-rithist.

Rugadh e an Sìona ged-tà, far an robh a phàrantan nam miseanaraidhean, agus cha robh e ach còig bliadhna a dh'aois nuair a thàinig e a dh'Alba. Chaidh e dhan sgoil an Sasainn, agus cha b' fhada gus an deach aithneachadh gum biodh e siùbhlach air a chasan agus math air ruith. Bha e adhartach anns an sgoil agus an dèidh sin nuair a chaidh e a dh'Oilthigh Dhun Eideann, chluich e rugbaidh do dh'Alba seachd tursan.

'S ann airson astar a b' ainmeile Liddell, ged a bha e cuideachd math air rèisean meadhan-slighe. Choisinn e an t-ainm 'Flying Scotsman' air sgàth a luaths (chaidh sin a thoirt air leabhar mu eachdraidh a bheatha a chaidh a sgrìobhadh ann an 1982) ged nach robh e siùbhlach air dhòigh sam bith na ruith. Cha mhòr nach canaist gu robh e na àmhghar agus e na dheann, a cheann a' dol air a chùlaibh agus a ghàirdeanan mar sgiathan eòin.

Chaidh Liddell a thaghadh mar bhall de sgioba Bhreatainn airson nan Geamannan Oilimpigeach ann an 1924 ann am Paris. Bha e ri ruith ann an dà rèis an toiseach - 100 meatair agus 200 meatair. Ach tharraing e bhon rèis a bu ghiorra a chionn is gu robh cuid dhe na rèisean san fharpais gan ruith air an t-Sàbaid. Cha robh Liddell airson an t-Sàbaid a bhriseadh a-muigh no a-mach.

Ruith e san 200 meatair ged-tà, agus thog e am Bonn Umha. Chaidh e air adhart an dèidh sin agus ghlèidh e am bonn òir sna 400 meatair ag ràdh nach robh a' chòrr fa-near dha ach a' chiad 200 meatair a ruith cho luath 's a ghabhadh, agus a dhol na bu luaithe buileach anns an dàrna leth, 'le taic Dhè'.

Cha do dh'fheuch Liddell anns na geamannan a-rithist agus tha fhios nam biodh e air sin a dhèanamh gu robh e air càrn de dh'òr a thoirt leis. Ach bu bheag sin aige agus a shlighe ga thoirt air a' cheann thall gu campa cogaidh an Sìona fo spòig Iapain.

Chuir Liddell aghaidh fhèin ri creideamh agus teachdaireachd an uair sin agus thòisich e a' trèanadh airson a bhith na mhiseanaraidh. Ann an 1925, chaidh e a dh'obair dhan Cholaiste Shasannach/Shìonach ann an Tientsin. Phòs e an uair sin Flòraidh NicChoinnich, banaltram a bhuineadh do Chanada, ann an 1934 agus bha dithis nighean aca.

Nuair a thòisich arm Iapain an sgrios ann an 1941, chuir Liddell a bhean agus a chuid chloinne air falbh gu tèarainteachd ach dh'fhan e fhèin ann an Sìona. Chaidh a chur dhan phrìosan ann an 1943 ann an Camp Weifang, agus chaochail e an sin dà bhliadhna an dèidh sin le iongrachadh na eanchainn.

Chaidh a bheatha agus a shaoghal 's a chreideamh a luaidh ann am film ainmeil 'Chariots of Fire' ann an 1981. Bu bheag a bha ri luaidh air ron sin, ach chuir am film air beul an t-sluaigh a-rithist e, a' toirt inbhe is àite dha air an robh e fìor airidh.

Board, *Lillian* (1948-1970)

'S iomadh sgeulachd dhoilgheasach agus ghoirt a th' ann an saoghal spòrs mu dhaoine nach do choilean riamh na chaidh a chur romhpa - an rùintean fhèin no amasan a chaidh a stèidheachadh dhaibh le caraidean no coidsichean.

'S iongantach gu bheil mòran sgeulachdan ann ged-tà a tha buileach cho truasail ri mar a thachair do Lillian Board, tè dhen chiad fheadhainn a ràinig inbhe 'superstar' ri linn an telebhisein.

Nuair a sheas Lillian Board air an loidhne anns a' chuairt dheireannaich de rèis nan 400 meatair aig na Geamaichean Oilimpigeach ann am Mexico, 's ann oirre a bha an saoghal, agus gu seachd àraidh muinntir Bhreatainn, a' coimhead. Le 50m ri dhol, bha i air thoiseach, a dh'aindeoin is mar a chaidh a h-aire a ghlacadh aig an toiseach, agus mar a theab sin a briseadh. 'S ann anns na ceumannan mu dheireadh a rinn Natalia Besson bhon Fhraing seachad oirre, agus mu dheireadh thall, cha robh eatarra ach dà throigh, no 7/100 de dh'aon diog. Cha do ruith i fhèin riamh na bu luaithe. Cha b' urrainn dhan Fhraing, no gu dearbh dhan bhana-Fhrangach fhèin, creidsinn gu robh i air am Bonn Oir a thogail. Bha i air dà dhiog a ghearradh far a h-ùine fhèin thairis air 400 meatair anns an rèis.

Do chreutair a bha ainmeil airson a neirt, thrèig sin Board nuair bha feum aice air anns a' mhionaid mu dheireadh. Bha i air a bhith a' ruith o bha i na nighinn òig. Bha h-athair, Seòras, na choids' aice fad a beatha agus 's ann bhuaithe a fhuair i a neart agus a spiorad a rèir coltais. Spiorad chinn a tuath Shasainn far an robh e fhèin ag obair gu cruaidh gus an do ghluais iad a Lunnainn ach am faigheadh iad air adhart ann an saoghal spòrs.

Cha b' fhada gus an do rinn i sin. An 1967, a' chiad bhliadhna aice aig àrd ìre lùth-chleasachd, bhuinig i farpais nan AAAs, agus ochd anns gach deich rèis eadar-nàiseanta anns an do dh'fheuch i.

Agus nuair a nochd i am Mexico aig aois 19, bha i air i fhèin a dhearbhadh am measg an luchd-rèis an b' fheàrr a bh' anns an t-saoghal aig 400 meatair. Bu bheag am briseadh dùil a bha sin ged-tà, an coimeas ri na bha ri thighinn oirre. Thòisich trioblaid na druim, 's dòcha a' chiad rabhadh gu robh aillse air fàire, agus b' fheudar dhi teannadh gu 800 seach 400 meatair, rèis na bu ghiorra agus mar sin beagan na b' fhasa. Dà bhliadhna an dèidh Mhexico, an rèis nan 800 meatair san fharpais Eòrpach ann an Athens, ràinig i an loidhne is gun for air càch a bha nan sruth air a cùlaibh.

Bha a caraid Besson fhathast a' ruith aig 400 meatair agus bha brunndail a' dol am measg luchd-naidheachd agus muinntir na Frainge, gu robh i a' seachnadh dhol an aghaidh Besson. Le sin chaidh Board dhan rèis 4x400 far am faigheadh i air na ceistean a fhreagairt. Bha Board meatair air cùlaibh Bhesson nuair a chaidh iad an aghaidh a chèile air a' cheum mu dheireadh dhen rèis. 'S i Board a bhuinig. Chaidh Board ainmeachadh mar phrìomh bhoireannach lùth-chleasan nan Geamannan sin agus an dèidh sin fhuair i urram MBE bhon Bhànrigh.

Chaochail Lillian Board ged-tà an là an dèidh na Nollaige ann an 1970, aig aois 22. Cha d' fhuaras a-mach leis an sin dè cho math 's a bha i gu bhith air a' cheann thall, agus cha d' fhuair i riamh am Bonn Oir air an robh i airidh aig Geamaichean Oilimpigeach.

Christie, *Linford* (1960-)

Chan eil ach 41 ceum ann an rèis nan 100 meatair, ach 's iongantach gun do rinn aon neach barrachd airson astar cho goirid a dhèanamh cho riaslach dha fhèin is do chàch ri Linford Christie. Rugadh is thogadh e ann an Jamaica agus nuair a bha e seachd bliadhna a dh'aois, thàinig e a dh'fhuireach a Lunnainn.

Tha Christie fhèin air aideachadh gun do rinn e mearachdan na dheugaire, is gun do chùm sin air ais e an ceann sreath, nuair a thòisich e air lùth-chleasachd. Ged a nochd e na òige gu robh tàlantan gu leòr aige, dh'fhaillich air faighinn a-steach do sgioba Bhreatainn anns na Geamaichean Olimpigeach ann an 1984, ged a bha e air a bhith a' ruith dha Breatainn airson ceithir bliadhna. Bha dà bhliadhna eile mus do rinn e adhartas mòr sam bith, ach nuair a rinn, bha sin sònraichte.

Thug e sìos an gleoc aig 100 meatair bho 10.42 diog gu 10.04, agus ghlèidh e farpais na h-Eòrpa taobh-staigh dhorsan agus am Bonn Oir aig na Geamaichean Eòrpach.

'S ann an 1988 ged-tà a thàinig e gu fìor aire an t-saoghail, ann an rèis iomraiteach an Seoul, far an do dh'fheuch Ben Johnson à Canada ris a' char a thoirt às an t-saoghal. Bha Christie anns an treas àite nuair a chaidh an rèis a ruith, ach nuair a chaidh dearbhadh gu robh Johnson air a bhith ri drogaichean, chaidh am Bonn Airgid a thort dha. Chaidh ceistean a thogail mu Christie fhèin an dèidh sin, agus e fo chasaid gun deach pseudoephedrine a lorg na bhodhaig. Chaidh aige air na teagamhan a chur chun dàrna taobh, gu ìre co-dhiù, agus chaidh gabhail ris an leisgeul aige gur ann à teatha ginseng a thàinig an stuth. Thuirt e fhèin an dèidh na thachair gu robh e air a bhith a' smaoineachadh air cur às dha fhèin.

Bhuinig Christie sreath de thiotalan an dèidh seo, ann an 1990 anns an Roinn Eòrpa, agus bha e na sgiobair air buidheann lùth-chleasachd Bhreatainn. Fhuair e an MBE bhon Bhànrigh ach cha robh Christie uair sam bith fada bho na naidheachdan. Chaidh airgead dìolaidh a thoirt dha mar eisimpleir nuair chuir na poileis an grèim e agus esan air an toirt chun na cùirte airson sin a dhèanamh gu mì-laghail.

Ach 's iad na teagamhan a bha riamh ga leantainn bho Seoul a bu mhotha a bha a' dèanamh dragh do Christie. Ruith e fo 10 diogan an Tokyo am farpais an t-saoghail ach cha robh e ach sa cheathramh àite. Agus nuair a bhuinig e an duais a bu mhotha na bheatha, am Bonn Oir am Barcelona an

1992, bha troimhe-chèile a-rithist eadar e fhèin is luchd-dearbhaidh nan drogaichean.

B' e Christie an duine bu shine riamh a bhuinig am Bonn Oir. Bliadhna an dèidh sin ged-tà, tharraing e tuilleadh thiotalan thuige fhèin. Agus ruith e na bu luaithe na ruith e riamh aig 9.87 diog. Ghlèidh e duais a' BhBC mar shàr neach-spòrs na bliadhna agus Farpais an t-Saoghail. Ach bliadhna eile a-rithist agus bha an troimhe-chèile le luchd-dearbhaidh ga bhuaireadh.

Fiù aig an aois aig an robh e, lean Christie air a' briseadh thomhasan aig astar, a' sìor dhol nas luaithe. Ann an 1998 chaidh a chur a-mach à rèis dheireannaich nan 100 meatair agus bha tuilleadh buairidh ann. An aon bhliadhna sin, chaidh a bhràthair a mhurt leis an sgithinn.

An dèidh an dàrna urraim bhon Bhànrigh, an OBE an turas seo, agus an dèidh cùmhnaint ùir leis a' BhBC airson a bhith a' lìbhrigeadh prògram ainmeil chloinne, thàinig là-dubh air Christie nuair a chaidh a dhearbhadh ri ana-caitheamh dhrogaichean anns a' Ghearmailt an 1999. Bha e an teis-meadhan an deasbaid mu dheidhinn nandrolone agus dè bha ga fhàgail an siostaman dhaoine. An e rud nàdarra a bh' ann, no an robh e a' dearbhadh gu robh an neach ri ana-caitheamh dhrogaichean? Bha teagamhan gu leòr aig a' chompanaidh Puma airson cùmhnant £100,000 a thoirt bhuaithe ged a ghlèidh e cùis lagha an aghaidh fear a bha air a ràdh gu robh e ri ana-caitheamh dhrogaichean.

Tha an deasbad mu nandrolone a' dol fhathast gun sgeul air fìrinn na cùise. Tharraing Christie à obair a bha e ri dèanamh ann an Sydney còmhla ris a' BhBC an dèidh casg eadar-nàiseanta dà bhliadhna a dhol air. Aig aois, agus le chuid airgid 's dòcha nach eil feum aige air a bhith ri farpais, ach gu sìorraidh buan bidh na ceistean agus na teagamhan a' leantainn Christie, an duine bha gu leòr a' meas mar an lùth-chleasaiche a b' fheàrr a bha am Breatainn riamh - e fhèin nam measg.

Peters, *Mary* (1939-)

Chan eil cus lùth-chleasaichean a bhios a' farpais aig àrd-ìre aig aois 33, agus gu seachd-àraidh a ghleidheas Bonn Oir aig Geamaichean Oilimpigeach aig an aois sin. Sin ged a tha e fìor a ràdh cuideachd gu bheil, le trèanadh nas fheàrr agus adhartas ann an saidheans leithid bith-eòlas is eile, daoine a' cluich leithid ball-coise aig àrd-ìre aig aois gu math nas sine san là th' ann.

Ach sin a rinn Mary Peters à Eirinn a Tuath nuair a bhuinig i, chan e a-mhàin Bonn Oir, ach stèidhich i Crìoch Saoghail ùr anns an dearbh fharpais ann am Munich an 1972.

Bhuinig Peters an aghaidh a h-aois agus cuideachd air a' chothrom mu dheireadh a bha gu bhith aice a leithid a dhèanamh, seachd bliadhna deug an dèidh dhi feuchainn sa chòigeachd airson a' chiad turas. Bha an dà chuid mì-fhortan agus leòn air bacadh a chur air Peters, agus nuair a ghlèidh i air a' cheann thall, 's iongantach gun do rinn am mòr-shluagh, agus gu dearbh co-fharpaisich, barrachd gàirdeachais aig àm sam bith.

Nuair a thàinig i gu Munich, bha Peters air iomadach duais a thogail roimhe sin - seachd tursan aig farpais nam boireannach, an WAAA, agus a bharrachd air sin bha i air an duais a thogail aig geamaichean a' Cho-Fhlaitheis an 1970.

Ach bha na h-Oilimpigs air failleachadh oirre agus bha i air a bhith sa cheathramh agus san naoidheamh àite an dà thuras roimhe sin. Na bu mhiosa na sin fhèin, cò bha na h-aghaidh ann am Munich ach a' bhana-Ghearmailteach Heidi Rosendahl, dìreach mar a bha Daley Thomson bliadhnaichean an dèidh sin gu bhith a' strì an aghaidh Gearmailteach eile, Jurgen Hingsen, san deicheadachd.

Air a' chiad là bha Peters 301 puing air thoiseach. Ro dheireadh an là, bha Rosendahl air sin a chriomadh air ais gu dìreach 10. Agus mar a dh'fhosgail a' cho-fharpais 's ann a b' fheàrr a thòisich cùisean a' tighinn gu ìre. Nuair bha ceithir dhe na còig farpaisean deiseil, chaidh an dithis a chath còmhla le turchairt anns an rèis thar 200 meatair. Bhuinig Rosendahl sin, agus bha e follaiseach bhon uair aice gu robh i air Crìoch-Saoghail ùr a stèidheachadh aig 4,791 puing. Cha robh Peters ged-tà ach 1.2 diog air a cùlaibh. Thug sin i gu 4,801 - dìreach 10 puingean air thoiseach an dèidh còig farpaisean.

Bidh na dealbhan de Mhàiri Peters a' leum agus a' gàireachdainn an dèidh is mar thachair nan samhla gu bràth air na Gèamaichean Oilimpigeach, ann an saoghal 's dòcha nach gabh coileanadh a-rithist tro phroifeiseantachd is eile.

Cha robh e na iongnadh sam bith an uair sin nuair a chaidh Peters a thaghadh mar neach-spòrs na bliadhna aig a' BhBC leis a' mhòr-shluagh agus dà bhliadhna an dèidh sin thill i gu Geamaichean a' Cho-Fhlaitheis far an do ghlèidh i am Bonn Oir a-rithist agus a sguir i dh'fharpais.

On uair sin chaidh urram a bhuileachadh oirre leis a' Bhànrigh agus tha i air mòran a dhèanamh tro leasachaidhean spòrs an Eirinn airson cur ri Iomairt na Sìthe.

Coe, *Sebastian* (1956-)

Airson sia bliadhna, bho 1978-1984, cha robh duine anns an t-saoghal a chumadh ceann a' mhaide ri Seb Coe ann an rèisean meadhan-slighe agus thar nam bliadhnaichean thug e fhèin, Steve Ovett is Steve Cram sreath de dh'fharpaisean dhan mhòr-shluagh 's dòcha nach fhaic iad an leithid a-rithist. Ann an aon sreath de cheithir bliadhna bho 1977, bhris e naoi tomhasan an t-saoghail aig 800 no 1500 meatair, agus rinn e sin trì tursan taobh a-staigh sia seachdainean ann an 1979.

Thog Coe ochd tomhasan ùra anns an t-saoghal uile gu lèir, agus dà Bhonn Oir aig Geamaichean Oilimpigeach, agus b' e a' chiad duine an 50 bliadhna a bh' air tomhasan ùra a stèidheachadh an dà chuid aig 800 is 1500 meatair. Gu dearbh aig aon ìre bha ceithir tomhasan saoghail aige aig an aon àm. Ach ged bha Coe aig àirde an uair sin, agus 's e glè bheag de dhaoine riamh a chuir iad fhèin air thoiseach air càch nan spòrs fhèin gu ìre mar sin, 's ann an 1980 a bha an deuchainn, agus an rèis a bu mhotha aige.

A rèir na mòr-chuid aig an robh ùidh sam bith ann an spòrs, agus bha aire Bhreatainn gu lèir air a beò ghlacadh le na bha a' dol eatarra, cha robh ach dithis san rèis am Moscow - Coe agus Ovett. Le mar a bha iad gu pearsanta gu math eadar-dhealaichte, bha tarraing àraid san fharpais, le Coe làn dhe fhèin agus ga chumail fhèin bho chàch le saidheans is athair ga bhuachaill-leachd air gach taobh, agus Ovett nas dìriche, ach biorach aig an aon àm, a' diùltadh bruidhinn ri cuid dhe na meadhanan. Bha làn dùil gun togadh Coe an 800 meatair ach ghlèidh Ovett. Nuair a thàinig e chun na rèise mòire ged-tà, aig 1500 meatair, b' ann aig Coe a bha làmh an uachdair agus bha an saoghal air a dhol bun os cionn. Lean e air an dèidh sin a' briseadh thomhasan thall 's a-bhos. Sheas an tomhas de 01.41 a ruith e thairis air 800 meatair ann am Florence an 1981 gu 1997.

Air ais anns na h-Oilimpigs, bha eachdraidh na chois nuair ghlèidh e a-rithist aig 1500 meatair agus fhuair e am Bonn Airgid anns na 800 meatair. Chaidh aige air am Bonn Oir a thogail am farpais 800 airson a' chiad uair ann an 1986, nuair a bha e anns an dàrna àite anns na 1500 meatair. Bha cothrom cuideachd aige tuilleadh eachdraidh a chlàradh dha fhèin ann an Geamaichean Oilimpigeach 1988, ach mu dheireadh thall dh'fhàg e an spòrs fo sgleò. Dh'fhaillich air faighinn a-steach a bhuidheann Bhreatainn, agus nuair a chaidh cuireadh sònraichte a thoirt dha leis a' bhuidhinn eadar-nàiseanta Oilimpigeach bha creach ann. Mu dheireadh thall ghèill Coe fhèin agus cha bhi fios gu sìorraidh againn an robh e air a bhith math gu leòr airson a dhol gu na Geamaichean agus an treas Bonn Oir a bhuinig.

On sguir e ruith mar fharpaiseach, tha Coe air a bhith na phàirt de dh'iomadach gluasad poileataigeach ann an saoghal spòrs agus cuideachd ann am fìor phoileataigs. Chaidh a chur dhan Phàrlamaid mar bhall Tòraidheach ann an 1982 agus ann an 1997 chaidh ainmeachadh mar Rùnaire Prìbhideach Uilleim Hague, ceannard nan Tòraidhean. Tha e an sin fhathast na thaic dha Hague, ged chaidh a chur a-mach às a' Phàrlamaid anns an taghadh an 1997.

Chaidh a chliù mar shàr neach-rèis aithneachadh leis a' Bhànrigh cuideachd, agus fhuair e urram OBE an 1991.

Grey, *Tanni* (1970-)

Ma rinn aon mheur de spòrs adhartas mòr sam bith suas gu deireadh na linne 's e spòrs do chiorramaich. Agus ma tha Steve Redgrave na shamhla dhan mhòr-shluagh air na Geamaichean Oilimpigeach àbhaisteach, tha Tanni Grey, a tha air còig Buinn Oir a thogail anns na Parailimpigs agus còig farpaisean eile aig ìre an t-saoghail, os cionn chàich nuair a thig e gu ciorramaich.

Rugadh Grey an Cardiff, ach tha i air gluasad bhon Chuimrigh a Bhirmingham far a bheil i ga toirt fhèin air adhart anns an spòrs aice aig 800 meatair na cathair-cuibhle, biodh sin a' deisealachadh airson geamannan an t-saoghail, nam Parailimpigs, no Marathon Lunnainn far an do bhuinig i ceithir tursan a-mach às na ceithir a dh'fheuch i.

Tha Tanni Grey mar aon neach a th' air fàs suas le beachdan a th' air a bhith a' sìor atharrachadh mu spòrs do chiorramaich, agus chaidh sin aithneachadh leis an t-saoghal an lùib na thachair ann an Sydney aig toiseach na linne. Fhuair ciorramaich àite is inbhe bho luchd-amhairc is bho na meadhanan nach d' fhuaras riamh roimhe, ged a chaidh cuid dhen sin a ghànrachadh an dèidh làimhe le ceistean mu dhrogaichean a bharrachd air ìre is fìrinn ciorraim cuid dhen luchd-farpais.

Tha Grey ag ràdh gun do mhothaich i fhèin do dh'atharrachadh mòr air an dòigh anns a bheil na Parailimpigs gam frithealadh on dh'fheuch i fhèin an toiseach ann an Seoul ann an 1988. Theabas a gràineachadh anns na Stàitean Aonaichte an Atlanta ann an 1996 far an robh an sluagh gu tur air taobh farpaisich nan Stàitean fhèin is ro chruaidh air farpaisich bho dhùthchannan eile.

Agus anns an là th' ann tha an deasbad mu spòrs chiorramach air atharrachadh gu mòr, is an luchd-spòrs fhèin air buannachd dha rèir fhaighinn às an sin. Tha Tanni Grey a' cur seachad 45 uair a thìde gach seachdain a' deisealachadh airson a cuid spòrs, agus i a' feuchainn ri a saoghal fhein a chumail an òrdugh an lùib sin. Tha a coids fhèin aice agus taic bho bhuidhnean spòrs leithid UK Sport. Chan eil sin ri ràdh ged-tà gu bheil an saoghal gu lèir a' gabhail ri Grey agus a leithid mar fhìor luchd-spòrs - mar gum biodh nach robh annta ach mean-spòrs aig a' char as fheàrr is gnothach iongnaidh no fuadain aig a' char as miosa, airson a bhith a' fanaid orra agus iad a' feuchainn ri cumail suas ri daoine 'àbhaisteach'.

Tha i cuideachd air a bhith ag obair anns na meadhanan air telebhisean agus air rèidio ged bha sin, tha i fhèin ag ràdh, nas sàraichte leatha na bha cuid dhe na farpaisean riaslach anns an robh i an sàs.

An-diugh, chan eil tubaistean no trioblaidean gineamhainn a' ciallachadh nach urrainn do neach a bhith a' gabhail pàirt ann an spòrs aig fìor àrd-ìre. Dhearbh Tanni Grey agus a leithid gu bheil saoghal eile ann dhaibh an dà chuid nam measg fhèin, agus nas cudthromaiche buileach, anns an t-saoghal mhòr far an tèid na gnìomhan aca aithneachadh agus a thomhas ann an dòigh nas cothromaiche. Tha adhartas ann an eòlas medigeach agus saidheans dhe gach seòrsa a bharrachd air sin a' cuideachadh le bhith a' toirt a' chothroim dha Tanni Grey an saoghal fhèin a chur air bun-stèidh mòran nas làidir gus am faigh gach neach a chòraichean fhèin is ceartas.

Thompson, *Daley* (1958-)

Bha Daley Thompson am measg saoghal lùth-chleasachd Bhreatainn nuair a bha e aig àirde anns na 1980an le leithid Ovett, Coe, Wells is eile a' tarraing sluagh an àite sam bith a bha iad a' feuchainn, agus a' tarraing aire dhaoine gu lùth-chleasachd tron telebhisean ann an dòigh nach do thachair riamh roimhe. Agus le dà Bhonn Oir aig na Geamaichean Oilimpigeach, ceithir tomhaisean clàraichte Saoghail, trì tiotalan aig geamaichean a' Cho-Fhlaitheis, tha Thompson am measg na feadhainn as cliùitiche ann an eachdraidh lùth-chleasachd na dùthcha. Gu dearbh, tro mheasadh sam bith, 's e an lùth-chleasaiche as fheàrr a bha riamh san t-saoghal san fharpais aige fhèin -deicheadachd. Agus cha robh e leisg aig àm sam bith sin a tharraing gu aire dhaoine eile, gu seachd àraidh a' cho-fharpaisich.

Bha buaidh an ìre mhath do-chreidsinn aig Thompson air an fharpais anns an robh e a' feuchainn, farpais mun robh a' mhòr-chuid am Breatainn aig an àm tur aineolach, fiù ged bhiodh iad le beagan eòlais mu gach diofar spòrs a-mach às na deich.

Bha a' bhuaidh a bh' aige air a' mhòr-shluagh gu mòr ag èirigh às a phearsa fhèin. 'S iongantach gu robh aon neach riamh a dh'fheuch ann am farpais às leth Bhreatainn aig an robh barrachd fèinealachd agus earbsa na chomasan fhèin. Agus cha robh e leisg aig àm sam bith innleachdan a chleachdadh airson a' char a thoirt à cho-fharpaisich. Bhiodh e tric a' nochdadh ann am farpaisean le lèintean air a bha a' tarraing às an fheadhainn a bha na aghaidh, no le teach-daireachd shònraichte a bha a' robhaigeadh no a' cur-thuige an t-sluaigh. Ghearain fear dhen fheadhainn san robh Thompson a' strì fad bhliadhnaichean, an Gearmailteach Jurgen Hingsen, gum biodh Thompson gu tric a' gàireachdainn ris fhad 's a bha iad a' farpais. Mura biodh Thompson, 's iomadh farpais a bha Hingsen air buinig seach na rinn e.

Bha Thomspon cuideachd àraid seach gur e fear dhen chiad lùth-chleasaichean dubha a thàinig gu ìre ann an sgioba Bhreatainn, agus a fhuair taic airgid bho chompanaidhean mòra airson a bhith ri sanasachd. Agus bha Thompson, na dhòigh is na ghiùlain air leth freagarrach son luchd-margaidheachd. Cha do lean e saoghal an telebhisein air a' cheann thall chun na h-ìre a lean cuid a bha ainmeil aig an aon àm. Agus cha robh riamh cus spèis no urraim aige do dh'ùghdarras is gnothaichean foirmeil.

Cha do chuir sin riamh bacadh air ged-tà, agus bha taic a' mhòr-shluaigh aige air sgàth sin. B' e a' chiad duine riamh a ghlèidh farpais an deicheadachd dà thuras sreath a chèile, ann an 1980 agus 1984. 'S iongantach cuideachd gun dèan duine a-rithist e.

Wells, *Allan* (1952-)

Tha Allan Wells ann an suidheachadh fìor àraidh a thaobh eachdraidh spòrs Bhreatainn. B' e an lùth-chleasaiche a bu shoirbheachail (mur b' e gu dearbh a bu luaithe) a bh' air a bhith am Breatainn o bha Eric Liddell anns na 1920an agus ged ghlèidh e am Bonn Oir aig na Geamaichean Oilimpigeach ann am Moscow an 1980, tha cuid ann fhathast nach eil air àite thoirt dha.

'S ann ris an leum-fhada a bha Wells an toiseach agus on a bha e san sgoil ann an Dun Eideann, 's ann ri sin a bha e a' cur seachad ùine, a' togail duais nàiseanta sgoiltean nuair a bha e 15. Cha do thòisich e ag amas air ruith luath gu 1976, ach taobh a-staigh dà bhliadhna bha e air tòiseachadh ag èirigh ann an clàr nan lùth-chleasaichean is daoine ga aithneachadh mar fhear a bha an cunnart a dhol an sàs anns na h-Aimeirgeanaich is eile a bha aig àrd-ìre aig an àm. Bhuinig e Bonn Oir aig Gèamaichean Co-Fhlaitheis 1978 an toiseach anns na 100 meatair agus an uair sin Bonn Airgid aig 200 meatair. Agus nuair a nochd Geamaichean Moscow an 1980, bha cothrom aige nach robh gu bhith aige gu sìorraidh tuilleadh.

Cha robh duine aig aois air soirbheachadh san fharpais roimhe, agus seach gu robh cuid dhe na lùth-chleasaichean a b' fheàrr air fuireach air falbh à Moscow air adhbharan poileataigeach, bha an cothrom air nochdadh. Ghabh e an cothrom sin agus thog e am Bonn Oir. Theab e an dearbh rud a dhèanamh ann an rèis nan 200 meatair, agus ged a ruith e na bu luaithe na ruith fireannach sam bith eile à Breatann roimhe (20.21 diog), cha deach aige ach air a' Bhonn Airgid a thogail.

Dà bhliadhna an dèidh sin a-rithist, bha Wells fhathast làidir agus luath gu leòr airson an dà rèis a bhuinig aig Geamaichean a' Cho-Fhlaitheis am Brisbane, ged a bha e co-ionnan ri Mike MacFarlane à Sasainn airson a' Bhuinn Oir.

Tha Wells cuideachd àraid anns an t-seadh 's gur e a bhean Margot, a thrèan mar neach-teagaisg PE, an coids' a bh' aige nuair a thug e e fhèin air adhart bho bhith na lùth-chleasaiche leum neo-àbhaisteach gu bhith na shàr neach-ruith. Bha e ochd bliadhna a' trèanadh airson an atharrachaidh mus tàinig e chun na h-ìre far an do rinn e a' chùis air sàr luchd-rèis nan Stàitean. Bha an tomhas clàraichte am Breatainn airson 100 meatair air seasamh airson 20 bliadhna an ainm Pheadair Radford gus an do chuir Wells an dàrna taobh e, agus gus an deach e air adhart gu stèids an t-saoghail. Air a' cheann

Allan Wells.

thall, cha mhòr gu robh farpais ann nach do bhuinig e, eadar farpaisean an t-Saoghail agus na Roinn Eòrpa ann an 1981, agus am Bonn Oir am Mexico. Duine cinnteach à chomasan fhèin agus daingeann airson a chòraichean a sheasamh. Cha do rinn e cus trioblaid riamh dha Wells nach deach aithneachadh 's dòcha mar bu chòir. Bha e 's dòcha nas draghail dha gu robh brunndar a' dol os-ìosal mun dòigh anns an do dh'atharraich e a bhodhaig agus mar thug e neart air adhart. An robh rudeigin amharasach mun dòigh san deach aige air na Buinn a thogail? Agus cha do ghlèidh e am Moscow ach seach nach robh càch a' ruith. Sin mar bhithiste a' cur sìos air.

Cha robh cus dàimh aige ri Alba a rèir coltais agus cha do thill e a dh'fhuireach ann. Tha e fhèin agus a bhean air a bhith tighinn beò a' dèanamh coidseadh iad fhèin a-nis, agus tha fèill air an eòlas a thog iad a thaobh trèanaidh is eile fad is farsaing, le sgiobaidhean ball-coise is rugbaidh mar eisimpleir gam fastadh airson an cuid chluicheadairean a dhèanamh nas luaithe.

Wood, *Willie* (1938-)

Tha Willie Wood na dhearbhadh do dhuine sam bith nach e gèam do bhodaich is do chailleachan a th' ann am bowls agus gu bheil a' cheart uimhir de thoileachas na lùib 's a th' ann an spòrs sam bith. Agus gu bheil tomhas mhath de chonnspaid ann aig amannan cuideachd.

'S e Wood, a rugadh an Gifford an Lodainn an Ear, an cluicheadair bowls as ainmeile a th' air a bhith ann an Alba thar grunn bhliadhnaichean, agus tha e a-nis, aig aois còrr is 60, air e fhèin a ghluasad gu taobh eile an t-saoghail far a bheil e air a bhith a' cluich còig mìosan sa bhliadhna ann an Astràilia ann am farpais lìg - a' tighinn beò air gèam a tha gu leòr dhaoine a' cumail a-mach a tha air a chomharrachadh dhan fheadhainn a th' air fòrladh.

Ann an dòigh, tha na th' air tachairt dha Wood agus e suas ann am bliadhnaichean na shamhla air an diofar mhòr eadar luchd-spòrs aig àird' an cosnaidh, leithid am ball-coise, agus daoine a tha a' strì gu saor-thoileach fad bhliadhnaichean mòra ri mean-spòrs, gun chàil ach cosgais is àmhghar mun amhaichean. Chaidh sin a thomhas an dòigh nuair a chaidh an lùth-chleasaiche Dougie Walker a thaghadh air thoiseach air Wood airson suaicheantas na h-Alba a ghiùlain aig toiseach Geamaichean Co-Fhlaitheis Kuala Lumpur an 1978. Bha Walker tòrr na b' ainmeile.

Chluich Wood do dh'Alba an toiseach ann an 1966 agus choisinn e a' chiad bhonn aige aig Geamaichean Cho-Fhlaitheis (umha) ann an 1974. A' cluich còmhla ri Ailig Mac an Tòisich, bhuinig iad Bonn Airgid ann an 1978, agus ceithir bliadhna an dèidh sin, ghlèidh e am Bonn Oir na ònrachd. Dìreach dà bhliadhna an dèidh sin a-rithist an 1984, bha e na bhall dhen sgioba a bhuinig farpais an t-saoghail do dh'Alba agus bha e fhèin san dàrna àite anns an fharpais do dh'aon-neach.

Mar a bha an saoghal ag atharrachadh, dh'èirich ùidh mhòr ann am bowls, agus nuair a dh'èirich deasbad mu phroifeiseantachd san spòrs, chaidh Wood a bhacadh bho bhith a' cluich anns na Geamaichean Co-Fhlaitheis an Dun Eideann. Bha sin mì-fhortanach, ach ceithir bliadhna an dèidh sin a-rithist, an 1990 ann an Aukland, bhuinig e Bonn Oir eile, an turas seo a' cluich ann an sgioba cheathrar.

'S ann ag obair a' càradh chàraichean a bha Wood ri chosnadh, ach aig deireadh a shaoghail spòrs, fhuair e cothrom do-chreidsinn, a dhol a chluich a dh'Astràilia. 'S dòcha nach robh e a' cosnadh nam mìltean mòra a tha a' taomadh do bhancaichean chluicheadairean ball-coise, ach a bharrachd air a chosnadh fhèin, goireasan air leth (a-muigh agus a-staigh) agus an dòigh-beatha, dh'fhosgail saoghal ùr dha Wood. Bha e air a bhith a' gearain nuair a dh'fhalbh e mun dòigh san robh cuid de luchd-spòrs a' faighinn taic-airgid bho leithid a' Chrannchair Nàiseanta agus cuid eile nach robh a' faighinn cothrom na Fèinne.

Thòisich Wood air bowls an toiseach an 1951, nuair a bha e gu math òg agus nuair nach robh leithid telebhisein, seanailean saideil is eile nan tarraing do dh'òigridh mar tha iad an-diugh. Bha an spòrs san dualchas anns a' bhaile bheag far an robh e a' fuireach (agus far a bheil e fhathast a' còmhnaidh nuair nach eil e a' siubhal) agus bha a mhàthair agus a sheanair nan cluicheadairean.

Tha Wood air a bhith a' siubhal an t-saoghail tro bhowls fad bhliadhnaichean. Tha e a-nis a' tilleadh pàirt dhen eòlas agus dhen sgil a thog e anns an ùine sin air ais dhan ghèam. Tha e air a bhith na mhanaidsear air sgioba Oigridh na h-Alba. Agus cha deach e a dh'Astràilia gus an robh e cinnteach gu faigheadh e fhathast air cluich do dh'Alba, an dèidh a' chiad chothrom a fhuair e a dhiùltadh. Ma chluicheas e do dh'Alba a-rithist anns na Geamaichean Co-Fhlaitheis ann an 2002, agus tha a h-uile coltas gun dèan e sin, bidh e air Alba a riochdachadh ann an seachd Geamaichean thar faisg air deich bliadhna fichead. Chan eil cus de luchd-spòrs na h-Alba aig a bheil a leithid de stòras no eòlas agus a fhuair uimhir de thoileachas air bheag theachd-a-steach.

Buchanan, *Ken* (1945-)

'S dòcha gu bheil Ken Buchanan na shamhla cho math 's a th' againn air an seòrsa dìmeas a nì muinntir na h-Alba air ar cuid spòrs - fear a ràinig ìre cho àrd 's a ghabhadh ann an saoghal nan dòrn agus a chuir cuid dhe na bogsairean a b' fheàrr a bh 'ann air an druim-dìreach. 'S e an aon bhogsair a tha fhathast maireann san dùthaich seo a fhuair sàr urram, mar fhear a chaidh ainmeachadh agus aithneachadh ann an Talla nan Curaidhean anns na Stàitean Aonaichte.

Agus 's e cnag na cùise gu bheil Buchanan an-diugh nas ainmeile anns na Stàitean far an deach a chliù aithneachadh ann an 2000 anns an Talla Urramach. Anns an dùthaich seo, chan e deagh ainm a th' aige, ach droch chliù mar fhear a th' air a bhith anns a' chùirt airson ionnsaigh a thoirt air neach eile; a chuid dhrogaichean, ciorram; droch loidhne is cruaidh-fhortan am malairt, agus droch ghiùlain tro sgaraidhean-pòsaidh agus iomadach trioblaid phearsanta eile. Duine briste, bochd - sgeulachd iomadach neach dhe leithid.

Ach anns na Stàitean, agus ann an saoghal bogsaidh, tha cuimhne fhathast air an truaghan gun lochd a chaidh a-null thairis agus airson a' chiad uair a thug tiotal an t-saoghail air ais a dh'Alba. Ann an New York aon turas, bha Buchanan na b' ainmeile air a' chlàr-sabaid na bha Muhammad Ali. Bha Buchanan air mullach a' chlàir sin ann am Madison Square Gardens sia tursan.

A' chiad turas ged-tà a thill le le glòir, 's ann an dèidh dha Ismael Laguna a chur fodha ann am Puerto Rico ann an 1970. Sheas Buchanan an là sin, aig dà uair feasgar, 15 cuairt le Laguna, a bh' air a bhith na shàr-bhogsair san t-saoghal aig ìre aotroim dà thuras. Agus chan e a-mhàin Laguna a bha na aghaidh ach an teas - suas gu 130 ceum.

Dà mhìos an dèidh sin, chaidh Buchanan a New York far an tug e buaidh air Donato Paduano a bha deich puinnd na bu truime. Dà mhìos eile an dèidh sin, chaidh e Los Angeles far an do ghlèidh e an aghaidh Ruben Navarro à Mexico, leis an luchd-amhairc a' feuchainn thoiten laiste air, agus a' cath cupannan làn mùin. Leis a' bhuaidh sin thog e tiotal an WBC, còmhla ris an WBA, gan toirt còmhla. Bha aithne is cliù aig Buchanan 's na Stàitean air a dhearbhadh. Taobh a-staigh bliadhna eile bha trì làithean mòr aig Buchanan ann am Madison; an aghaidh Isamel Laguna, Roberto Duran agus Carlos Ortiz. Cha do rinn a' chùis air ach Duran, a bha dìreach 21 aig an àm agus a thug dha iomadach slaic a bha mì-laghail. Chaidh Duran air adhart gu bhith na fhear-sabaid cho ainmeil is cho math 's a bh' ann aig a chuideam.

Bha daor cheannach aig Buchanan air na thachair ris ged-tà - cleas iomadach bogsair eile. An dèidh do Dhuran a mhilleadh le slaicean ìosal (aon le ghlùin a rèir aithris air beulaibh 18,821 neach), bha fuil a' tighinn troimhe son cola-deug. Ann an aon shabaid an Sardinia, chuir an rèiteire a chorrag na shùil agus e a' feuchainn ris an duine eile a chuideachadh a rèir coltais.

Nuair a thog Buchanan a' chiad tiotal saoghail aige an 1970, cha robh fèill mhòr sam bith air an Alba. Cha d' fhuair e cuirm oifigeil bhon bhaile aige, Dun Eideann; cha robh sluagh mòr sam bith a' feitheamh air aig a' phort-adhair ach a theaghlach.

Fhuair e an MBE ann an 1972. A' bhliadhna ron sin, 's dòcha gum b' e an neach-spòrs a b' ainmeil san dùthaich, air mullach cunntas-sluaigh a' BhBC san fharpais aca fhèin, a' dannsa còmhla ris a' Bhana-phrionnsa, Anna.

An-diugh chan eil sgillinn aige, a' reic a sgeulachd dha na tabloids an-dràsta 's a-rithist, agus air eachdraidh fhèin a lìbhrigeadh ann an leabhar - *The Tartan Legend*. Agus chaidh dealbh-chluich a sgrìobhadh mu shaoghal.

Bha othail gu leòr ann nuair a chaidh an t-urram a bhuileachadh air anns na Stàitean, ach dè phàigh sin dha agus a bhodhaig air a milleadh, a shaoghal air a sgrios? Anns na Stàitean, tha e am measg chàich san Talla Urramach. An Alba, tha e sa chùirt airson troimhe-chèile aig an dachaigh is e a' feuchainn ri cuid dhe na buinn is beiltichean a bhuinig e fhaighinn air ais. Cha d' fhuair e riamh seachad air an ionnsaigh a thug Duran air, no nas miosa buileach, air mar chaidh a dhruim a mhilleadh nuair a thug duine eile ionnsaigh dhrabasta air.

Buchanan, a b' urrainn a dhol a shabaid ri na daoine a bu chruaidhe a bh' ann aig aon ìre, ach nach b' urrainn grèim no smachd a chumail air a shaoghal fhèin. Fear nach urrainn an-diugh fiù a bhith ag obair mar shaor airson tighinn-beò - an aon rud eile a b' aithne dha ach a bhith a' sabaid.

Cooper, *Henry* (1934-)

Cha b' e Henry Cooper am bogsair a b' fheàrr a bha riamh am Breatainn - cha b' e no faisg air. Ach 's e glè bheag dhiubh riamh a choisinn uimhir de chliù dhaib' fhèin ri 'Our Enry', mar a bh' aig meadhanan Shasainn air.

'S dòcha leis an fhìrinn gum b' e Cooper am bogsair a b' fheàrr am Breatainn aig cuideam mòr bho àm a' chogaidh, ach cha robh e a-riamh gu bhith am measg na feadhainn a b' fheàrr air an t-saoghal mar a bha cuid a chaidh a-mach bho chrìochan na dùthcha seo.

Gu ìre mhòir bha cliù sam bith a bh' aig Cooper stèidhichte gu buileach air an làimh chlì aige, a bha, a rèir chuid, mar òrd. Sin nuair a bhuaileadh i an tarrag co-dhiù. Agus 's ann airson na rinn Cooper le aon shlaic dhen òrd-mhòr sin aon oidhche an Lunnainn as fheàrr as aithne dhuinn uile e - an oidhche a chuir e Cassius Clay air a thòin. Cha deach aige air an aon ghnìomh a dhèanamh ged-tà, air Muhammad Ali, ach tha ceist eile an sin.

Bha Cooper air a bhith a' bogsadh o 1952 anns na Geamaichean Oilimpigeach, agus chaidh e an sàs gu proifeiseanta an ceann dà bhliadhna an dèidh sin.

Cha do rinn e cus gus an do dh'fheuch e airson tiotal na h-Eòrpa ann an 1957, ach rinn Ingemar Johansson a' chùis air. Dà bhliadhna an dèidh sin a-rithist, ràinig e àrd-ìre am Breatainn nuair rinn e a' chùis air Brian London am farpais Bhreatainn, tiotal a ghlèidh e bho 1959 gu 1970. A rèir na mòr-chuid, tha sin na thomhas air cho bochd agus a bha an spòrs aig fìor àrd chuideam am Breatainn aig an àm, a cheart cho math 's a tha e na thomhas air cho math is a bha Cooper.

Gu h-annasach mar sin, 's ann airson aon sabaid a chaill e as fheàrr as aithne dhan mhòr-chuid a-nis e, agus na dealbhan dubh is geal dhen bhlàr le Cassius Clay ann an 1963. Chuir Cooper sìos Clay le aon bhuille dhen òrd-mhòr. Bha Cooper fhèin le gearradh mu na sùilean aig an àm, rud a bha na thrioblaid dha fhad 's a bha e a' sabaid. Cho seòlta ri na sionnaich fhèin, chaidh aig luchd-taic Chlay air ùine a bharrachd a bhuinig dhaib' fhèin mus fheumadh e tilleadh a shabaid, a' leigeil orra gu robh a' mhiotag aige air spreadhadh. Fhuair iad le sin mionaid a bharrachd, a thug an cothrom do Chlay a neart a thogail, agus aghaidh a chur air a' bhlàr a-rithist.

Bha Cooper air an cothrom a chall, agus ge bith dè an neart is foghain-teachd a fhuair Clay às a' bhotal bheag a chaidh a chur fo shròin anns an eadar-ama, thòisich e a' bleith gearraidhean an fhir eile. Agus bha an là le Clay air a' cheann thall.

Trì bliadhna an dèidh sin is Clay a' nochdadh mar Muhammad Ali agus e air bhoil agus aig àirde a chomais, cha robh seasamh nan cas aig Cooper agus bha fìor thomhas ann air cò a b' fheàrr. Sin ann no às, chaidh aig Cooper air càch am Breatainn a chumail fo smachd gus an robh e aois 37 ann an 1971 nuair a thug Joe Bugner buaidh air, agus chuir e bhuaithe an spòrs gu lèir.

Bha dàimh air leth eadar Cooper agus an luchd-leantainn, agus e fhèin sgileil gu leòr air gach cothrom a thàinig thuige an uair sin a ghabhail. Bha e somalta is eòlach le na meadhanan, agus chaidh e air chuairt nan stèiseanan telebhisein a' gabhail pàirt ann an geamannan agus farpaisean cheist gun sgur. Cha robh ìomhaigh riamh fada air falbh bho sgrion an telebhisein. Mu dheireadh thall chaidh aige air òran a chlàradh - 'Knock mi down with a feather'. Cha do rinn duine sin riamh air agus e a' sabaid - ged bha gu leòr a' cumail a-mach gun gabhadh e dèanamh - agus ge bith dè na tàlantan a bha a dhìth air, cha robh e riamh ach dìreach agus onarach san t-strì. Cha do ghèill e riamh mur robh fìor èiginn air, agus chaidh aige air saoghal ùr a chruthachadh dha fhèin, le beairteas dha rèir an dèidh dha na miotagan a chur dhan chlòsaid. Chan e a h-uile bogsair a bha cho fortanach ris.

Lynch, *Benny* (1913-1946)

'S e Benny Lynch à Glaschu a' chiad duine riamh à Alba aig an robh ceannas an t-Saoghail am bogsadh, agus ann a bhith a' togail a' chrùin, chuir e Jackie Brown, aig an robh ceannas san àm, air a thòin deich tursan sa chiad dà chuairt.

Ma bha bogsair riamh airidh air far-ainm leithid 'fear beag a' chridhe mhòir', 's e Lynch. Nuair nach robh e ach 20 bliadhna a dh'aois, bha e air a mheasadh mar neach-sabaid beag a b' fheàrr an Glaschu. Agus aig an àm sin, cha bu bheag an t-urram. Bha sluagh Ghlaschu nam mìltean mòra ga leantainn, a' lìonadh raointean bhall-coise agus cha robh iad a' sùileachadh càil bhuaithe ach an saoghal a chur fo chasan.

Rinn e sin ann an 1937, nuair a thug e buaidh air an fhear a b' fheàrr an Aimeireagaidh aig an àm, Small Montana, agus thug sin dha ceannas an t-Saoghail aig tomhas flyweight. Bha Lynch ainmeil an dà chuid airson a chruas agus a chuid innleachd - ealanta le làmhan, sùbailte air a chasan agus le cothromachd air feadh an raoin-sabaide. Sin a bharrachd air cumhachd mhòir - nach robh a rèir a chudthroim - na dhà chròig.

Nuair a chaidh e fhèin is Peadar Kane an aghaidh a chèile airson ceannas an t-Saoghail an 1937, an dèidh dha Lynch an tiotal a ghabhail an aghaidh Montana, chunnacas farpais cho math 's a chaidh fhaicinn riamh 's dòcha am Breatainn, agus gu sònraichte am measg an luchd-sabaid aotrom. Chaidh Kane a chur fuar anns an treas cuairt deug dhen bhlàr, air beulaibh sluaigh a chaidh a thomhas aig 40,000.

B' e seo an turas mu dheireadh a chuir Lynch air na miotagan agus mus deach aige air seasamh, cas ri cois ri duine a-rithist, bha buaidh na dibhe air uimhir a thoirt bhuaithe 's gun deach an tiotal cuideachd a reubadh bhuaithe; cha b' ann le neach-sabaid sam bith ach le laigsean fhèin. Nuair a nochd e chun a' mheasaidh chudrom, cha robh e ann an suidheachadh a dhol air adhart agus e ro throm airson na sabaid.

Mu dheireadh thall chaidh cead sabaid a thoirt bhuaithe cuideachd air sgàth a shlàinte. Bha a bhodhaig air a sgrios leis an deoch agus ann an 1939, aig aois 26, chuir e chùl ri bogsadh airson an turais mu dheireadh - no chuir an spòrs cùl ris fhèin.

Taobh a-staigh trì bliadhna eile bha mì-fhortan air Lynch a chur fodha gu buileach. Cha deach aige riamh air smachd fhaighinn air an deoch-làidir agus aig aois 33, chaochail e leis an acras, gun sgillinn ruadh aige.

Cleas iomadach fear eile a thàinig às na Gorbals an Glaschu, cha deach aige air tighinn suas ris an t-saoghal a bha taobh a-muigh dhen sin. Ach chan eil teagamh nach eil na h-uimhir dhe na gnìomhan mòra a dh'èirich à Alba a thaobh bogsaidh sna bliadhnaichean an dèidh bàs Lynch stèidhichte air na rinn e san ùine bhig a bha e os cionn chàich. 'S ann bhuaithe a thug, tha fhios, leithid Walter McGowan, Ken Buchanan, Jim Watt, agus gu leòr a bharrachd orra nach do choisinn cliù riamh, an cuid misneachd airson an aghaidh a chur air an t-saoghal nuair nach b' aithne dhaibh an còrr.

McTaggart, *Dick* (1936-)

Tha a h-uile coltas ann gur e Dick MacTaggart an treas bogsair à Alba a thèid a chomharrachadh le bhith air ainmeachadh mar bhall de Thalla nan Curaidhean airson an spòrs ann an Canastota an New York. Agus gu dearbh bhiodh leithid McTaggart airidh air a dhol an sin còmhla ri Benny Lynch agus Ken Buchanan, an dithis eile a tha a' riochdachadh Alba.

Rugadh McTaggart an Dun Dè agus chaidh e air adhart gu bhith os cionn chàich am Breatainn aig ìre amateur. Bha a theaghlach gu lèir an sàs anns an spòrs. Chaidh e fhèin air adhart gu Bonn Oir aig ìre aotroim a bhuinig aig na Geamaichean Oilimpigeach ann am Melbourne an 1956, an t-aon duine à Alba a rinn a leithid. Agus fhuair e cuideachd duais shònraichte - Val Barker Trophy - mar neach-sabaid a bu ealanta agus a bu sgileil aig na Geamaichean.

Ghlèidh e Bonn Umha san fharpais a-rithist anns an Ròimh an 1960 agus chaidh e air adhart gu Tokyo an uair sin an 1964, a' chiad bhogsair à Breatainn a chaidh a shabaid aig trì Geamaichean. Tha na rinn e ga fhàgail am measg na feadhainn as ainmeil a riochdaich Breatainn aig ìre amateur, am measg leithid Harry Mallin (1920 agus 1924), Terry Spinks (1956) agus Chris Finnegan (1968).

Bha McTaggart air a mheas air leth am measg a' cho-fharpaisich. Meanbh, cumhachdach, sgileil agus sùbailte air a' chasan, bhuinig e trì tiotalan ABA ann am Breatainn ann an 1956, 1958 agus 1960 aig ìre aotroim agus a dhà eile an uair sin an 1963 agus 1965 aig light-welterweight.

Nam biodh saoghal an là an-diugh air a bhith roimhe, tha fhios gu robh McTaggart air a dhol air adhart gu gnìomhan mòra agus 's dòcha fortan a dhèanamh às an spòrs. Ach dhiùlt e a h-uile cothrom is fiathachadh a fhuair e tòiseachadh a' sabaid gu proifeiseanta agus chaidh e air adhart gu bhith a' cuideachadh le bogsairean na h-Alba a thrèanadh agus a choidseadh aig Geamaichean a' Cho-Fhlaitheis ann an 1990.

Tha àite air leth aig McTaggart ann an eachdraidh bogsadh na h-Alba agus tha an dòigh sa bheil cuimhn' aig daoine air a' dearbhadh gu bheil àite ann fhathast dhan fheadhainn a tha ri spòrs gun chosnadh sam bith ach cliù is creideas am measg an cuid cho-fharpaiseach.

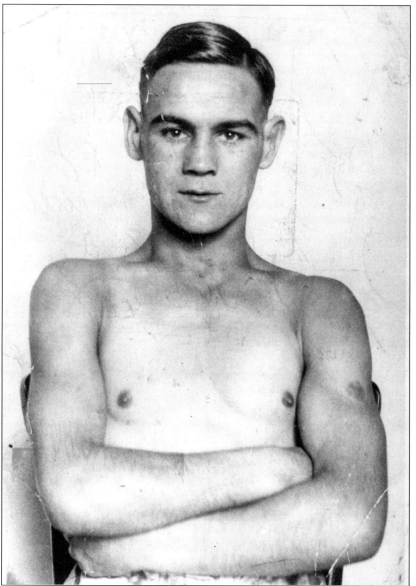

Benny Lynch.

© SMG Newspapers Ltd.

Dick McTaggart.

© SMG Newspapers Ltd.

Ken Buchanan.

Cowdrey, *Sir Colin* (1933-2000)

Duine sam bith a rugadh an Sasainn le MCC mar chiad litrichean air ainm, tha fios gur ann gu criogaid Shasainn a rachadh a tharraing. Agus an dèidh beatha aig fìor chridhe a' gheama an Sasainn agus air feadh an t-saoghail, (bha e a' cluich airson 22 bliadhna agus na sgiobair air Kent bho 1957-71 agus an sàs ann an rianachd iomadach bliadhna an dèidh sin) tha àite air leth aig Colin Cowdrey an eachdraidh a' gheama.

Bhuineadh Cowdrey do linn is do ghinealach air leth an criogaid, linn nach eil ann an-diugh - na cluicheadairean a bha a' cluich gun thuarastal agus a bha air an ceangal ri fìor sheann làithean spòrs, agus nach robh aig amannan ro dheònach atharrachadh, ach cluicheadairean aig a bheil inbhe is cliù àraidh anns a' ghèam ged-tà, leithid David Sheppard, Ted Dexter aig Sussex, Trevor Bailey agus Doug Insole aig Essex agus Peter May an Surrey. An dòigh, bha leithid Cowdrey na shamhla air seann làithean na h-Impireachd. Rugadh anns na h-Innsean e, mus deach a chur a Shasainn dhan sgoil. Anns a' chiad sgoil aige, Tonbridge, a bha ainmeil airson a bhith a' cluich a' gheama, cha robh fada gus an deach na sgilean sònraichte aige aithneachadh. Aig aois 13, bha e a' cluich an aghaidh ghillean a bha còig bliadhna na bu shine.

Na òige, 's ann leis a' bhàlla fhèin a b' fheàrr a bha e ged a chaidh e air adhart gu ainm agus a chliù a leudachadh air feadh an t-saoghail leis a' chaman, a' togail còrr is mìle sràc ann an sèasan. Agus nuair a chaidh Cowdrey a chluich do Shasainn, thug e buaidh air Astràilia a' toirt bhuapa nan Ashes anns a' chiad shreath gheamannan a chluich e.

Ann an iomadach seagh, cha robh Cowdrey coltach ri sàr neach-spòrs idir. Bha trioblaidean aige le chasan a chùm a-mach às an arm e, agus na bhodhaig 's e duine mòr treun a bh' ann, nach robh ro luath air a chasan. An seagh teignigeach ged-tà bha e air leth, bha e na chleachdadh aige toiseach-tòiseachaidh a dhèanamh aig astar, agus an uair sin e fhèin a shocrachadh am meadhan an raon-cluiche airson deagh ùine.

Bha e na bhriseadh-cridhe do chluicheadairean na aghaidh, foighidneach is furachail an ceann sreath, seach a bhith na chluicheadair a bheireadh air sgòrnan air a nàimhdean. Nuair nach robh e san fhìor mheadhan, bha sgilean gu leòr aige ri chur ri buidheann, ged nach robh e cho sùbailte ri càch agus èasgaidh air ruith. Bha sùil chinnteach aige, agus làmhan a bha tèarainte agus earbsach.

Na dhòigh agus na chomas, bha e follaiseach gum biodh e na sgiobair air Sasainn là air choreigin ach cha deach aige air an dreuchd a ghleidheadh dha fhèin gu ìre mhòir sam bith. Cha robh e 's dòcha cruaidh gu leòr na phearsa agus bha cus dhen duin'-uasal na chleachdaidhean. Gu math eu-coltach, can, ri leithid Brian Close agus Ray Illingworth a chaidh a thaghadh air thoiseach air mar sgiobair an ceann sreath. Cha robh e gealtach air dhòigh sam bith ged-tà agus chaidh sin a dhearbhadh nuair a thill e a chluich do Shasainn an aghaidh Astràilia le Dennis Lillee agus Jeff Thomson aig àirde an comais air taobh eile an t-saoghail, agus e fhèin gu math seachad air an dà fhichead bliadhna. Nuair a sguir e a chluich bha e air a bhith a' cluich dha Sasainn 117 turas eadar 1954-75, na sgiobair 23 turas. Nuair a sguir e, cha robh duine air uimhir a shràcan a chur agus air uimhir a chluicheadairean eile a chur air ais le breith air a' bhàlla.

Chuir Cowdrey gu mòr ri rianachd is stiùireadh a' gheama an dèidh dha sguir a chluich agus ràinig e ìre bhith na chathraiche air an ICC, a' Chomhairle eadar-nàiseanta a tha riaghladh a' gheama air feadh an t-saoghail. Fhuair e an CBE ann an 1972 agus chaidh a dhèanamh na Ridire an 1992 agus na Mhorair an 1997. A bharrachd air sin, bha e na stiùiriche air grunn chompanaidhean agus sgrìobh e mòran mun spòrs air an do chuir e seachad fad a shaoghail.

Chaochail e aig toiseach na Dùbhlachd, 2000.

Botham, *Ian* (1955-)

Cha robh uimhir de bhuaidh 's dòcha aig aon chluicheadair criogaid air saoghal spòrs san fharsaingeachd ri Iain Botham on a bha W G Grace aig àirde. Agus ma bha cuid de dhaoine comasach air a bhith nan reubaltaich agus nan curaidhean spòrs aig an aon àm, 's e Botham, fear a bha tighinn beò air an dà thaobh, agus a nochd an dèidh sguir a chluich gu robh iomadh taobh eile air.

Tha a h-uile neach-spòrs a ruigeas àrd-ìre a' tighinn beò air a chreideas fhèin - gur e no i an duine no am boireannach as treasa, as luaithe no as foghaintiche. Cha robh duine air an t-saoghal aig an robh uimhir de chreideas na thàlantan fhèin 's a bh' aig Botham. Agus is beag an t-iongnadh.

Dhearbh e uair is uair gu robh e comasach, leis fhèin, an aghaidh gach stoirm is gaillinn a bhiodh na aghaidh, air gèam a bhuinig. Duine sam bith a chunnaic na rinn e an aghaidh Astràilia aig Headingley ann an 1981, cha dhìochuimhnich iad e. Le Sasainn an ìmpis a dhol fodha, fhuair Botham 149 agus chaidh an gèam a bhuinig. Cha robh Lazarus fhèin air a dhèanamh a rèir nam pàipearan-naidheachd.

Anns a' chiad ghèam a chluich e do Shasainn, air a' chiad là, chuir e còig cluicheadairean eile air ais agus còig eile anns an ath ghèam, is gun an sgioba eile toirt bhuaithe ach 21 sràc. Airson trì bliadhna eadar 1977 is 1980, cha b' urrainn dha càil a dhèanamh ceàrr. Ann an aon ghèam an aghaidh Phakistan, ghabh e ochdnar dhen sgioba eile agus fhuair e fhèin 100 dà thuras. B' e a' chiad duine a ghabh deichnear eile ann an aon ghèam agus a fhuair 100 dha fhèin ann an Test.

Cha robh a' chòrr ann ach a bhith na sgiobair air Sasainn fhèin, agus cha b' e ruith ach leum. Ach chaill Sasainn 12 gèam an sreath a chèile fon sgiobair ùr. Cha b' e a-mhàin an sgioba a dh'fhuiling fo stiùir, ach a chluich fhèin cuideachd, agus ann an aon ghèam, cha d' fhuair e aon shràc an dèidh a bhith a-muigh aig Lords dà thuras an aghaidh Astràilia ann an 1981.

Thill Mike Brearley na sgiobair. Thog Botham air a-rithist agus tro ghnìomhan mòra an fhir mhòir, ghlèidh Sasann a-rithist. Agus fad nan 1980an cha robh ach Botham air fàire, a' cluich do Shasainn agus dhan sgioba aige, Somerset. Mu dheireadh lean e shannt is a mhiann fhèin gu Worcester, a dh'Astràilia, agus gu Durham - gach uair a' lorg stoirm ris an cuireadh e aghaidh.

Nuair sguir e chluich ged-tà, fhuair am mòr-shluagh sealladh eile air Ian Botham, seach a bhith na churaidh spòrs, no na àmhghar do luchd-riaghlaidh a' gheama. Chaidh e dh'obair dha companaidhean telebhisein, a' siubhal an t-saoghail a' toirt cunntas air geamannan, ach na bu chudthromaiche, chuir e thaic ri grunn iomairtean cathrannais a thog milleanan do bhuidhnean slàinte. Am measg na rinn e bha turas le ailbhein thar nan Alps agus choisich e uair is uair bho Lands End gu Taigh an Ghròt, clann na dùthcha air earball agus cuinneagan aca a' cruinneachadh airgid.

Do mhòran dhaoine, cha robh ann am Botham ach balach beag nach do dh'fhàs mòr riamh ach na bhodhaig. Bha am mòr-shluagh deònach cur suas le fhaicinn sa chùirt fo chasaidean gu robh cainbe aige; gun do chuir e dà chàr nan smàl an aon là; gu robh e caitheamh a chuid airgid air eich; gun dèanadh e amadan dhe fhèin ann am Pantomime aig àm na Nollaige; agus gu robh e falbh le boireannaich.

Dh'fhaillich air 100 fhaighinn an aghaidh nan Innseachan Siar. Le sin, 's dòcha nach b' e an cluicheadair a b' fheàrr a bha riamh aig Sasainn. Ach b' fheàirrde an gèam gu mòr a làthaireachd fad fichead bliadhna o na 1970an.

Burton, *Beryl* (1937-1996)

Buinidh Beryl Burton do shaoghal spòrs a th' air a dhol a-mach à sealladh gu tur - saoghal far nach robh mòran aithne ga thoirt do bhoireannaich co-dhiù, agus gu seachd àraidh ann am mean-spòrs. Cha robh neach a rachadh air baidhsagal an aghaidh a' ghleoc cho luath ri Burton tràth anns na 1960an, agus cha robh boireannach ach glè ainneamh a dhèanadh a' chùis oirre ann an rèisean àbhaisteach. Gu dearbha, b' i a' chiad bhoireannach a chaidh a dh'fharpais an aghaidh fir anns a' Ghrand Prix des Nations, agus bha gu leòr dhen bharail gu robh i a cheart cho math ri fear sam bith.

Aig Farpais an t-Saoghail eadar 1959 agus 1970, bhuinig i còig Buinn Oir, trì Buinn Airgid agus trì Umha, a' rèiseadh leatha fhèin an aghaidh neach eile, agus dà Bhonn Oir agus Bonn Airgid ann an rèisean rathaidean.

Chuir i saoghal nam baidhsagal fo a casan am Breatainn fhèin; ghlèidh i an tiotal airson a bhith a' farpais ris a' ghleoc airson 25 bliadhna bho 1959 gu 1983, a' togail 72 tiotal fa-leth. Agus tha sin a bharrachd air 14 farpaisean a' leantainn neach eile agus 12 rèis rathaid.

Ann an 1967, shiubhail i 446km ann an 12 uair a thìde, 9km nas fhaide na bha am fireannach a b' fheàrr air a dhèanamh, agus a' bhliadhna an dèidh sin cha tug i ach trì uairean a thìde agus 55 mionaid airson 100 mìle a shiubhal. B' ann dìreach dusan bliadhna ron sin a bha a' chiad fhireannach air an dearbh shlighe a dhèanamh fo na ceithir uairean a thìde.

Bha Burton fhathast a' feuchainn ann an rèisean gus an robh i faisg air 50 bliadhna a dh'aois agus bha a nighean fhèin, Denise, a' farpais rithe ann am farpais an t-saoghail ann an 1972. Chan fhaic sinn a leithid tuilleadh, agus tha e an ìre mhath deimhinne nach tèid aig boireannach sam bith air fuireach aig àirde spòrs sam bith cho fada à seo a-mach.

MacLean, *Craig* (1971-)

Aig deireadh na linne, rinn Craig MacLean à Baile nan Granndach rud nach do rinn neach sam bith eile bhon Ghaidhealtchd - thug e dhachaigh Bonn Airgid bho na Geamaichean Oilimpigeach. Bha e na phàirt de sgioba a bha a' farpais an rèis-thriùir luath bhaidhsagal an Sydney an Astràilia agus nuair a thàinig e dhachaigh, bha am baile gu lèir ga fheitheamh agus Saorsa a' Bhaile air a ghealltainn (an ìre mhath ged a bha sin an làmhan dhaoine eile air a' cheann thall!).

Agus le na rinn e, dhearbh MacLean gun urrainn do neach sam bith, an ìre mhath ann an suidheachadh sam bith agus à aite sam bith san là th' ann, faighinn chun na h-ìre as àirde ann an spòrs, gu seachd àraidh a-nis is gu bheil taic airgid ri fhaotainn dha daoine far nach robh roimhe. Mura biodh an taic airgid a fhuair e bho leithid a' Chrannchair Nàiseanta, dh'aidich MacLean agus a theaghlach nuair a thill e, cha robh e air a' chùis a dhèanamh air Bonn sam bith a bhuinig gu sìorraidh. Cha ghabh e bhith gun tèid aig neach air a bhith a' deisealachadh làn-ùine, mar a tha a dhìth son faighinn chun na h-ìre as àirde, gun sin. Tha an deisealachadh a-nis a tha a dhìth agus an ìre farpais, a' ciallachadh nach glèidh ach daoine a tha làn-ùine agus le trèanadh, taic saidheans is eòlaichean eile.

Chan e a-mhàin gun deach aig MacLean agus a cho-fharpaisich san sgioba, Chris Hoy agus Jason Queally, air a bhith san dàrna àite ann an Sydney, ach dìreach cola-deug an dèidh dhaibh sin a dhèanamh, bha iad san dàrna àite am Farpais an t-Saoghail ann am Manchester. Agus anns an dà fharpais, 's e an sgioba Frangach a rinn a' chùis orra.

Ann an sgìre a tha nas ainmeile airson luchd-spòrs ann an saoghal na camanachd no fiù air an t-sneachd tro sgitheadh, choisinn MacLean cliù àraidh dha fhèin agus dhan bhaile bheag dham buin e. Dhùisg ùidh ann am baidhsagalan nuair a fhuair e BMX nuair a bha e 11 bliadhna a dh'aois. Chaidh e às an sin gu bhith dìreach 0.4 diog bho Bhonn Oir ann an Sydney agus 0.3 aig farpais Mhanchester.

Nis, chan eil a' feitheamh air MacLean agus air an dithis eile ach an ath fharpais sa Ghrèig ann an 2004 (agus 's dòcha na Frangaich!), agus mar a thuirt e fhèin nuair a thill e dhachaigh, "Ma tha de mhisneachd agad agus ma tha thu ag iarraidh nì sam bith chun na h-ìre bha mise, feumaidh tu cumail ort." Tha na rinn MacLean na mhisneachd mar sin dhan h-uile duine a tha

Craig MacLean air an làimh dheis.

tighinn beò ann an sgìrean iomallach, agus cuideachd am mean-spòrs, gun urrainn dhaibh faighinn chun na h-ìre as àirde, aig amannan, goireasan ann no às.

Obree, *Graham* (1965-)

'S iomadh duine a nì a' chùis air faighinn gu àrd-ìre ann an spòrs le neart, misneachd, fiù cealgaireachd, ach chaidh aig Graham Obree à Siorrachd Air air a dhèanamh le taic uidheim-nighe. Sin ann an saoghal nam baidhsagal far a bheil an-diugh an spòrs na shaidheans, an dà chuid anns an dòigh sa bheilear a' dealbh agus a' togail bhaidhsagalan, agus cuideachd a' sgrios beatha nam farpaiseach le ana-caitheamh dhrogaichean, a' milleadh cliù nan spòrs agus nam farpaiseach air feadh an t-saoghail.

Bha Obree air a bhith a' buinig fharpaisean greis an Alba mus tàinig e gu aire an t-saoghail mhòir leis a' bhaidhsagal aige a chaidh a thogail le pìosan de dh'inneal-nighe na mnatha aige. An uair sin rinn e a' chùis air a' chlàr-stèidhichte airson a bhith a' dol fad uair a thìde aig Francesco Moser ann an Nirribhidh, aig an raon Oilimpigeach. Bha Obree air 'Old Faithful', an t-ainm a thug e air a' bhaidhsagal, a thog e fhèin agus e a' cleachdadh innleachdan ùra agus inntinn bheòthail fhèin, a' ciallachadh gu robh e fhèin a' greimeachadh air a' bhaidhsagal ann an dòigh gu tur ùr, a' cromadh air thoiseach agus a làmhan a-mach air a bheulaibh seach air crois os cionn na cuibhle mar chleachd.

Cha robh ach bliadhna ged-tà gus an do dhearbh luchd-riaghlaidh nan spòrs, an UCI, gu robh am baidhsagal a' briseadh nan riaghailtean agus nach robh an stoidhle aig Obree eireachdail gu leòr. Chaidh aige air faighinn seachad air a' bhriseadh dùil sin ged-tà agus taobh a-staigh bliadhna eile bha e air Farpais an t-Saoghail a bhuinig airson rèis nan 400 meatair airson neach eile a ghlacadh ann an Colombia. Thachair an uair sin gun do tharraing e a-mach à sgioba Frangach, le Groupement, anns an robh e ri farpais, agus an uair sin dh'fhaillich na Geamaichean Oilimpigeach air ann an Atlanta an 1996.

Dh'aidich Obree fhèin an dèidh mar thachair san Fhraing gur ann a chionn is gun deach iarraidh air drogaichean a ghabhail a chaidh e a-mach air an sgioba. Agus le sin a dhèanamh chuir e chùl gu sìorraidh ri tè dhe na prìomh rùintean aige fhèin, feuchainn anns an Tour de France, an rèis as ainmeil san t-saoghal.

Ma bha dìth creideis aige anns na thachair an dèidh is mar a chaidh casg a chur air a' bhaidhsagal ùr-nodha aige, bha na thachair na dhearbhadh do Obree gu robh spòrs nam baidhsagal lobhte le drogaichean agus daoine aig àrd-ìre ga fhalach.

Bha riamh amharas ann nach robh anns a' bhacadh air a' bhaidhsagal ach leisgeul airson Obree a chumail fodha gus nach innseadh e cus mu na bha e a' faicinn agus a' cluinntinn. Chaidh dealbh a dhèanamh dheth mar sheòrsa de dh'amadan nach èisteadh is nach gabhadh comhairle - fear a thàinig à saoghal eile agus nach robh deònach gabhail ri cealgaireachd na mòr-chuid agus an luchd-riaghlaidh.

Bha Obree ro dhìreach leotha ach le taic a' mhòr-shluaigh aig an dachaigh, chaidh a thomhas mar neach-spòrs a' BhBC an Alba an 1993, agus bidh ainm ceangailte ri dà dhuais Saoghail a bharrachd air tomhasan eile a stèidhich e. Sin agus am baidhsagal a chaidh a thogail le pìosan de dh'inneal-nighe às a' chidsin.

Simpson, *Tommy* (1937-1967)

Tha dà dhòigh air coimhead air an eachdraidh aig Tommy Simpson, a bha os cionn chàich a' rèiseadh bhaidhsagal am Breatainn. Faodar sealltainn ris mar shàr neach-spòrs no mar a' chiad neach à Breatainn a chaidh a dhearbhadh a' bàsachadh fo bhuaidh dhrogaichean ann an spòrs. Agus tha cuid de chunntasan-eachdraidh a tha a' toirt aithne dha Simpson air a' chiad bhonn, ach nach tèid fhathast faisg air an dàrna ceann, a' togail iomadach ceist mu dheidhinn Simpson fhèin, an spòrs anns an robh e an sàs, agus an dòigh anns a bheil sinn a' meas ar luchd-spòrs.

Chaochail Simpson ann an 1967 air an treas earrainn deug dhen Tour de France, an rèis as ainmeile a th' ann an spòrs. Bha e leth-mhìle bho mhullach na beinne a bha an luchd-rèis a' sreap. Ged a chaidh innse gu h-oifigeil an dèidh làimhe gur e sgìths agus dìth-uisge a thug bàs dha, chaidh aideachadh a-rithist gu robh e air a bhith a' cleachdadh amhpetamines.

Ma tha daoine a' smaoineachadh gu bheil spòrs bhaidhsagal lobhte le drogaichean anns an là an-diugh, bha e air a ghànrachadh buileach mun àm sin, far nach robh smachd a dh'òrdaich air sgiobaidhean, no dearbhadh sam bith ga dhèanamh air an luchd-rèis. Bha daor cheannach aig Simpson air an dol a-mach.

Cho fad air ais ri 1966, chuir an luchd-rèis fhèin gu làidir an aghaidh a bhith a' dearbhadh air dhòigh sam bith, nam measg grunn dhen fheadhainn a b' ainmeil anns an spors. Bha an luchd-rèis dhen bheachd nach b' urrainn dhaibh seasamh ri na bha romhpa fad sèasain, ann an àirde an teas, a' sreap gu mullach bheanntan, agus a' falbh fad cheudan mhìltean, mura robh drogaichean gan robhaigeadh, agus a' cumail an neirt riutha.

Bha Simpson an 1965 na shàr fhear-rèis san t-saoghal, air farpais phroifeiseanta an t-saoghail a bhuinig. Bhris e cas ged-tà a' sgitheadh air làithean-saora. Agus chùm sin bhon bhaidhsagal e, nuair a b' fheàrr a bha cothrom aige fàth a ghabhail air a chliù mar shàr neach-rèis. Bha e aig an àm 29 bliadhna a dh'aois agus 's e an Tour de France 's dòcha an cothrom mu dheireadh a bh' aige a shaoghal a shocrachadh agus fhortan a dhèanamh cinnteach.

Bha Simpson, a bh' air a bhith a' fuireach agus a' cosnadh le bhaidhsagal anns an Roinn Eòrpa o 1959, ainmeil airson a neirt agus a chomais os cionn nan cuibhlichean. Amaideach 's dòcha na dhòigh, ach le aon shùil is rùn; an-còmhnaidh air a bhith air thoiseach air a cho-luchd-rèis.

Ann an 1962, b' e a' chiad duine à Breatainn a bhuinig an lèine bhuidhe a tha a' dol le buaidh ann an earrainn dhen Tour, ach cha robh i aige ach aon là. Ghlèidh e grunn Thours air feadh na Roinn Eòrpa ged-tà (Flanders, 1961; Bordeaux-Paris, 1963; Milan-San Rémo, 1964; agus Lombardy, 1965) ach chuir an t-sreap gu mullach Mont Venteux às dha is e na theine na bhodhaig is a' ghrian ga gharadh. Chaidh clach-chuimhne a thogail far an do thuit e agus tha meas mòr air fhathast anns an Roinn Eòrpa airson na rinn e, agus an seòrsa stoidhle a bh' aige le na cuibhlichean. Thaobh na thug bàs dha, 's dòcha gur e sin a tha ga fhàgail gun ainm na dhùthaich fhèin.

Bremner, *Billy* (1942-1997)

Ma chaidh 'fear beag a' chridhe mhòir' a thoirt air fear riamh, 's ann air Billy Bremner. Rachadh e a shabaid ri fhaileas. Ged nach robh ann ach còig troighean is còig òirlich, agus deich clachan de chuideam, bha e mar tharraig am meadhan sgiobaidhean Alba is gu sònraichte Leeds United, far an do choisinn e sàr urram dha fhèin is dha cho-chluicheadairean. Far an robh lèirsinn aig càch, bha cruas is misneachd aig Bremner - làn bara-cuibhle dheth.

Chluich Bremner, a bhuineadh do Shruighlea, 54 turas do dh'Alba agus ged nach do chuir e ach trì tadhail anns na h-aona bliadhna deug anns an do chluich e leis an lèine ghuirm, bha a luach do sgiobaidhean Leeds is Alba gun tomhas. Choisicheadh Bremner, thuirt an stiùiriche a b' eòlaiche air, Don Revie aig Leeds, 'tro bhallachan, tro uinneagan agus tro theine'. Agus nam b' ann do dh'Alba a dh'fheumadh e sin a dhèanamh, sin mar a bhiodh e.

Oir cha do chuir ach glè bheag de mhanaidsearan eòlas air. Cha do chluich Bremner ach do dhà sgioba - Leeds agus Hull City - rud a tha na annas anns an là a th' ann, is nach gabh creids' is cluicheadairean a' leum bho chùmhnant gu cùmhnant. Thuirt e ri Revie aon uair, a rèir aithris, gun dèanadh e rud sam bith dha, fhad 's nach iarraidh e (Revie) air gèam a dhiùltadh do dh'Alba.

Nuair a chluich Bremner dha Leeds, ri taobh leithid John Giles, Norman Hunter, Jack Charlton is eile, chuir iad ball-coise Shasainn fon casan. Agus bha sgiobaidhean aig Manchester United agus Liverpool aig an àm a bha iad fhèin aig àrd-ìre.

Thog Leeds an lìg dà thuras ann an deichead, Cupa FA aon turas agus bha iad ann an trì cuairtean deireannach; bhuinig iad Cupa UEFA san Roinn Eòrpa dà thuras agus chaill iad dà chuairt dheireannach eile - ann an Cupa na h-Eòrpa fhèin agus Cupa Eòrpach nan Cupannan. Aig deireadh là cha b' e na sgiobaidhean ris an do choinnich iad a rinn a' chùis orra ach na chuir iad romhpa fhèin, air raon cho farsaing.

Ged nach d' fhuair Bremner ach trì tadhail do dh'Alba ('s dòcha nach robh sin na iongnadh do chluicheadair am meadhan na pàirce), fhuair e 115 ann an 769 gèam dha Leeds. 'S beag an t-iongnadh, a-rithist, agus e a' cluich ann an sgioba a bha cho fad air thoiseach air càch is gu robh a' chùis aig amannan èibhinn. Ràinig sin àrd-ìre nuair a ghlèidh Leeds 7-0 an aghaidh Southampton an 1972, is iad a' cumail a' bhàlla bho chluicheadairean

Southampton le eòlas is sgil nach creideadh tu mura biodh gu bheil an gèam air a ghleidheadh aig a' BhBC an dubh is an geal. 'S iomadh gnìomh a rinn Bremner aig Leeds. Bu mhòr a rinn e do dh'Alba cuideachd am meadhan na pàirce, a' piobrachadh Law agus mar amhag aig casan Bhaxter. An dithis le chèile a' tarraing à Sasainn ann an 1967 aig Wembley. Ma theab duine teabachdainn riamh 's ann nuair a theab Bremner am bàlla a chur dhan lìon an aghaidh Bhrazil ann an Cupa na Cruinne. Chrìochnaich an gèam 0-0 ach nam biodh Bremner air a bhith òirleach no dhà na b' fhaide anns na casan, saoil dè bh' air tachairt?

Cho bragail ri duine a chuir cas am bròig, bha mar a thachair dha Bhremner an lùib mar a chrìochnaich a chuid saothrach san lèine ghuirm, is cinnteach, cho goirt leis 's a bha càil a thachair ris. Chaidh a choireachadh, a rèir chuid, airson nach d' fhuair Alba barrachd thadhail an aghaidh Zaire ann an 1974, a' fàgail Bhrazil is Yugoslavia a' dol troimhe anns an fharpais. Bha Bremner an dèidh sin am measg troimhe-chèile ann an taigh-seinnse an Copenhagen agus chaidh a chasg bho chluich do dh'Alba. Cha b' e sin an aon troimhe-chèile anns an robh e, agus e fhèin am measg na thachair an oidhche a chaidh Jimmy Johnstone fhaighinn ann an long gun ràimh is an Cuan Siar a' fosgladh roimhe.

Tha Bremner an-diugh air thomhas mar fhear dhe na cluicheadairean a b' fheàrr a bh' ann bho àm a' chogaidh co-dhiù.

Chan fhaic sinn a leithid a-rithist.

Charlton, *Sir Bobby* (1937-)

Cha robh dol a-mach aig Charlton ach a bhith ri ball-coise, agus a theaghlach air a bhogadh anns a' ghèam bho òige. Bha e càirdeach dhan chluicheadair ainmeil, Jackie Millburn agus a bharrachd air a chliù mar chluicheadair còmhla ri bhràthair Jackie le Sasainn, choisinn e mòr-chliù dha fhèin a' cluich dha Manchester United agus an uair sin an dèidh dha sguir, mar fhear-gnothaich agus mar shàr neach-spòrs.

Ach theab nach robh Charlton maireann airson uimhir sin a bhuinig bhon ghèam. Bha e am measg chluicheadairean òga Mhanchester United a bh' ann an tubaist adhair am Munich an 1958, nuair a chaill United grunn chluicheadairean ainmeil aig aois ro òg. Cha robh Charlton a-mach às a' ghèam ged-tà ach airson trì seachdainean agus chaidh aige air na thachair ris air an oidhche uabhasaich sin a chur air a chùl. 'S ann mar chluicheadair-aghaidh a choisinn Charlton ainm dha fhèin an toiseach, a' frasadh thadhal, ach an ceann sreath chaidh a ghluasad air ais a mheadhan na pàirce far an do shocraich e e fhèin, aig cridhe sgioba ainmeil United anns na 1960an, a' cumail a bhàlla ri leithid Law agus Best air a bheulaibh. Bha ainm a-riamh aige airson a bhith cumhachdach a' feuchainn air an tadhal bho mheadhan na pàirce, agus bha gu math tric na tadhail aige am measg na feadhainn a b' fheàrr a rachadh a thaghadh gach deireadh sèasain.

Bhuinig Charlton dà thiotal lìg còmhla ri United anns an sgioba sin, Cupa an FA, agus Cupa na h-Eòrpa an 1968, nuair chuir e fhèin dà thadhal anns a' chuairt dheireannaich aig Wembley. Fhuair Charlton 247 tadhal uile gu lèir ann an 752 gèam dhan aon sgioba dhan do chluich e agus an 1966 chaidh ainmeachadh mar an cluicheadair a b' fheàrr a bha an Sasainn agus anns an Roinn Eòrpa. Bha e a' bliadhna sin fhèin air a bhith na shàr chluicheadair aig Sasainn agus iad a' togail Cupa na Cruinne. Chuir Charlton fhèin trì tadhail anns an fharpais sin.

Chaidh Charlton air adhart a chluich do Shasainn 106 turas agus cha do chuir duine barrachd thadhail do Shasainn, 49 uile gu lèir. Chluich e cuideachd ann an Cupa an t-Saoghail trì tursan a' cosnadh ainm dha fhèin air feadh an t-saoghail am measg chluicheadairean a bu spòrsail a bha a' dol air a' phàirc. Tha Charlton a-nis ainmeil air feadh an t-saoghail mar theachdaire do bhall-coise. Chan eil cuirm mhòr no taghadh farpais ann aig nach eil e an làthair, agus tha e na mheadhan air iomadach innleachd airson farpaisean a tharraing chun na dùthcha seo. Tha e cuideachd air mòran a chur ris a' ghèam a thaobh coidseadh agus tha ainm air a cheangal ri grunn oidhirpean òigridh a chuideachadh.

Tha e fhathast gu mòr an sàs aig Manchester United far a bheil e air a' Bhòrd agus na stiùiriche agus bhiodh e fhathast an teis-meadhan sgioba sam bith a rachadh a thaghadh dhe na cluicheadairean a b' fheàrr a bha am Breatainn fad na 20mh linn. Chaidh urram Ridire a bhuileachadh air ann an 1994 an dèidh OBE fhaighinn an 1969 agus CBE ann an 1974.

Dalglish, *Kenny* (1951-)

'S ann ainneamh a thèid taghadh a dhèanamh air sgioba dhe na cluicheadairean ball-coise as fheàrr a th' air a bhith ann an Alba nach bi an t-ainm Kenny Dalglish san loidhne aghaidh còmhla ri leithid Denis Law. Tha iad le chèile air an ainmeachadh còmhla ri Pele, Cruyff, de Stefano, Platini agus Best, am measg nan cluicheadairean a b' fheàrr air feadh an t-saoghail, gun tighinn air Alba. Agus nuair a thig e gu bhith a' tomhas àite Dhalglish ann an eachdraidh ball-coise an t-saoghail, bidh na rinn e (no nach do rinn e) na mhanaidsear air sgiobaidhean Liverpool, Blackburn Rovers, Newcastle agus Celtic cuideachd ri chothromachadh.

Rugadh Dalglish ann an Glaschu an 1951. Cha do chluich e ach do dhà sgioba aig àrd-ìre, Celtic agus Liverpool, ach 's ann ainneamh a bhuinig aon chluicheadair uimhir de bhuinn is de dh'fharpaisean ann an aon sreath. Agus chluich e barrachd gheamannan do dh'Alba na chluich duine sam bith eile - 102, a' sìneadh bho 1972 gu 1987, a' cur 30 tadhal. Bha e a' cluich aig àrd-ìre bho Shultain 1968 nuair a chluich e a' chiad ghèam dha Celtic ann an Cupa an Lìg, gu Cèitean 1990 nuair a chluich e an gèam mu dheireadh aige do Liverpool, an aghaidh Derby County. Sin 836 gèam uile gu lèir, a' cur 339 tadhal. Agus anns an ùine sin chaidh e seachad air na chuir Law de thadhail a' cluich do dh'Alba. Inntinneach dha-rìribh do chluicheadair a thòisich na fhear-gleidhidh anns a' bhun-sgoil ann am Milton an Glaschu.

Gu h-annasach, chuir Dalglish làmh ris a' chiad chùmhnant aige còmhla ri Celtic dìreach mar a bha iad a' togail Cuach na h-Eòrpa airson a' chiad turas ann an 1967. Fo stiùireadh Jock Stein, ghabh Dalglish ceumannan an uair sin air slighe a thug air a' cheann thall e gu ceithir duaisean lìg an Alba, ceithir cupannan an Alba, aon chupa lìg le Celtic, agus trì cupannan Eòrpach le Liverpool, a bharrachd air sia farpaisean lìg, aon chupa FA agus ceithir cupannan lìg an Sasainn. 'S iongantas gun dèan aon neach eile a leithid tuilleadh.

Nas annasaiche buileach mu Dhalglish, nuair a chuir e làmh ri chùmhnant airson Celtic, bha e a' toirt a làn thaic do Rangers, agus bha e aig an aon àm air a bhith còmhla ri Liverpool agus West Ham, agus an dà sgioba sin air cluinntinn cho math 's a bha e aig aois. Nuair a fhuair Liverpool grèim air mu dheireadh thall ann an 1977, b' fheudar dhaibh £440,000 a chur a-mach air (£18 millean aig prìsean an là an-diugh), an suim a b' àirde aig an àm airson cluicheadair am Breatainn.

Far nach do chluich Law mòran an Cupa na Cruinne, bha Dalglish na chluicheadair cho cudthromach 's a bh' aig Alba ann an 1974 agus 1978 anns na cuairtean deireannach, ged a thathar a' fàgail air gu math tric nach d' fhuair e uimhir de thadhail do dh'Alba 's a bha còir aige. Chluich e trì geamannan sa chiad oidhirp agus na trì eile an Argentina, ach cha deach a chleachdadh ach airson pàirt de ghèam an aghaidh Bhrazil ann an 1982. Bliadhna an dèidh sin, chaidh a mheas mar an cluicheadair a b' fheàrr an Sasainn, a' togail an dà phrìomh dhuais.

Thàinig Dalglish fo bhuaidh grunn dhe na stiùirichean ball-coise a b' fheàrr a bha riamh anns an dùthaich, Stein gu cinnteach, ach cuideachd Bob Paisley aig Liverpool, a stiùir e air a' cheann thall gu àite ghabhail mar mhanaidsear air an sgioba fhad 's a bha e a' cluich. Agus bha Dalglish a cheart cho soirbheachail na mhanaidsear 's a bha e a' cluich gus an tug Sgrios Hillsborough, air Giblean 15, 1989, uimhir de bhuaidh air 's gun do chuir e bhuaithe a dhreuchd. Thill e gu ball-coise an ceann sreath còmhla ri Blackburn Rovers agus thug e an sgioba sin bhon chiad lìg gu farpais prìomh lìg Shasainn a bhuinig. Choisich e air falbh bhuapasan cuideachd agus chaidh a thàladh air ais a-rithist gu bhith na stiùiriche air Newcastle far nach do shoirbhich leis cho math. Gu dearbh 's e seo an ùine bu mhiosa a bh' aig Dalglish am ball-coise. Sin gus an deach e air ais gu Celtic agus Parkhead ann an 1999 an dèidh do Fhergus McCann a chasan a thoirt leis.

Chaidh Dalglish fhastadh mar stiùiriche ball-coise agus b' e a' chiad rud a rinn e, Iain Barnes, a bha a' cluich aig Liverpool còmhla ris, agus nach robh air a bhith os cionn aon sgioba roimhe sin, a chur mar mhanaidsear. Chaidh iomadach ceist a thogail mun cheum seo aig an àm agus nuair a chuir sgioba Chaledonian Inbhir Nis Celtic a-mach à Cupa na h-Alba anns a' Ghearran 2000 ('Super Caley go ballistic, Celtic are atrocious,') mar thuirt an *Sun*, chaidh Barnes an rathad a chaidh iomadach manaidsear roimhe. Chaidh Celtic fhàgail an làmhan Dhalglish airson grunn mhìosan ach cha robh e fada gus an tàinig an sgaradh an sin ris an robh dùil - sgaradh a ràinig taigh na cùirte air a' cheann thall, far an do dhearbh Dalglish iomadach uair gu bheil e a cheart cho sgileil 's a bha e riamh le chùl ris an tadhal.

Law, *Denis* (1940-)

'S e Denis Law an cluicheadair-aghaidh a b' fheàrr riamh a thàinig à Alba a rèir mhòran, cluicheadair cruaidh, ach sgileil, seòlta agus lèirsinneach, a chuir eagal am beatha air gach neach-dìon a bha na aghaidh on chaidh e a chluich an toiseach do sgioba Huddersfield Town nuair a dh'fhàg e an sgoil an Obar-Dheathain ann an 1957.

Na là, chluich Law do Huddersfield san t-seann chiad lìg an Sasainn (aig aois 16), Manchester City, Turin san Eadailt agus do Mhanchester United, far an do choisinn e cliù thar chàich còmhla ri cluicheadairean leithid Bobby Charlton agus George Best. Agus a bharrachd air na rinn e còmhla ri na sgiobaidhean sin, chluich Law 55 turas do dh'Alba (aon turas a bharrachd air a charaid Billy Bremner agus chluich e a' chiad uair nuair nach robh e ach 18) a' cur 30 tadhal uile gu lèir. Airson fear dhe choltas - lapach is fann ri coimhead air, mar bhioran fraoich - bha sgilean àraidh aig Law, le cheann is le chasan, agus bha astar aige a thug air falbh e bho iomadach neach-dìon a bha airson na casan thoirt bhuaithe. Cha robh a leithid ann on uair sin taobh staigh a' bhogsa bhig agus faisg air an tadhal. Bha e mar shionnach is mar amhag aig an aon àm.

Chaidh Law a chluich do Mhanchester City sa Mhàrt 1960 agus beagan is bliadhna an dèidh sin chaidh a reic ri sgioba Turin airson £100,000 - airgead do-chreidsinn san là bha sin. Dà bhliadhna an dèidh sin, bha e air ais am Manchester còmhla ri United, far an do chluich e am ball-coise a b' fheàrr a chluich e riamh ann an sgioba ainmeil. Chosg e £116,000 an turas sin. Nam biodh e a' cluich an-diugh agus ga reic, chosgadh e co-dhiù 20 millean not. Thuirt Bill Shankly gun 'dannsadh Law air na sligean'. Tha luchd-taic United air a thomas am measg nan deichnear a b' fheàrr a chluich dhan sgioba riamh.

Thuirt Sir Matt Busby gur e an cluicheadair a b' fheàrr a bh' aca riamh. Tha Sir Alex Ferguson dhen aon bheachd ag ràdh gur e an cluicheadair a b' fheàrr a bh' aig Alba riamh - fiù air thoiseach air Dalglish. Am beachd chuid, bha Law tuilleadh is bragail. Gu h-àraidh am beachd Shasannach, a bha seachd sgìth dhe chuid eacarsaich aig Wembley sna geamannan eadar-nàiseanta far an do shàraich e sgioba Shasainn iomadach uair. Tha Law fhèin ag ràdh gur e leigheas a chaidh a dhèanamh air a fhradharc is e na ghille òg a' cluich dha Huddersfield a thug dha na bh' aige de mhisneachd is de chreideas na bheatha is na dhòigh, a chuir saoghal ball-coise fo chasan.

Aig deireadh sèasan 1972-73, thill Law a chluich dha Manchester City. Chaidh e thuca an asgaidh ach cha robh an là aige buileach seachad, agus chuidich e sgioba na h-Alba gu cuairtean deireannach Cupa na Cruinne sa Ghearmailt ann an 1974. Gu mì-fhortanach cha do chluich e ach an aon ghèam, an aghaidh Zaire. Chaill e cuideachd cothrom cluich ann an cuairt dheireannaich Cupa na h-Eòrpa do United ann an 1968, nuair ghlèidh United an Cupa an aghaidh Benfica aig Wembley, agus trioblaid aige le ghlùin. 'S e an tàire bh' aige le sin a chuir às do Law aig àrd-ìre an ceann sreath agus tha e on uair sin air saoghal ùr a chruthachadh dha fhèin mar neach-meadhan air TBh is rèidio, agus na fhear-gnothaich. Sàr chluicheadair os cionn chàich.

Ferguson, *Sir Alex* (1941-)

'S dòcha gur e Sir Alex Ferguson an duine as ainmeile a thàinig à sgìre Bhaile Ghobhainn an Glaschu. Bhiodh e doirbh fear eile a lorg co-dhiù a bh' air uimhir a dhèanamh aig àrd-ìre ann an dreuchd sam bith. Mar chluicheadair ball-coise cha robh e cho math no cho ainmeil ri sin, a' riochdachadh sgiobaidhean Queens Park, St Johnstone, Dunfermline agus fiù nuair a bha e aig Rangers, cha robh lasair mòr sam bith na dhèidh.

Nuair a sguir e chluich, cha robh fada ged-tà gus an do mhothaich daoine gu robh sgilean àraidh aige am measg dhaoine eile. Thòisich e aig East Stirling agus St Mirren, agus chaidh e an uair sin a dh'Obar-Dheathain far an do dhùisg e, chan e a-mhàin an sgioba ball-coise ach am baile fhèin - agus chaidh e às an sin gu Manchester United an dèidh a bhith greis os cionn sgioba na h-Alba.

Agus cha mhòr gun gabh na rinn Ferguson aig Old Trafford tomhas, gu seachd àraidh is daoine air a bhith ga choimeas ri leithid Matt Busby on chiad là chuir e cas a-steach air Old Trafford. Tha e furasta gu leòr sreath dhe na rinn e a chur a-mach air clàr, on a thòisich e a' togail chupannan ann an 1990 le Cupa an FA, troimhe gu Cup Cup Winners na h-Eòrpa an 1991 agus an Lìg is cupannan eile an Sasainn fad nan 1990an, agus Cupa na h-Eòrpa agus an Treble an 1999. Agus fhad 's a tha Ferguson air a bhith a' riaghladh tha e air cha mhòr a h-uile manaidsear a bh' air na sgiobaidhean eile ann am Prìomh Lìg Shasainn a chur fodha. Sin bho dhuine a thàinig, a rèir eachdraidh co-dhiù, gu math faisg air a' bhròg fhaighinn e fhèin bho Manchester.

Mus do ràinig e an ìre far a bheil e a-nis air ainmeachadh mar phrìomh mhanaidsear san dùthaich, agus am measg nan trì as fheàrr anns an t-saoghal ge bith cò tha gan cunntais, bha Ferguson air a dhol an sàs anns an Roinn Eòrpa le Obar-Dheathain. Bidh na rinn iad air oidhche ainmeil an Gothenburg ann an 1983 gu sìorraidh air a chlàradh an eachdraidh na h-Ear-thuath agus Ferguson ri mholadh airson na rinn e - fiù ged a dh'fhàg e an sgioba nuair a thàinig United air a thòir an 1986. Bha sin a' dol a thachairt co-dhiù agus e air leigeil fhaicinn mar a rachadh aige air sgioba a chruthachadh agus a thoirt air adhart gu sàr-ìre cluiche. Ach chan fhacas fìrinn sin gus an do cheannaich e Eric Cantona, 's dòcha an aon ghnìomh a bu chudthromaiche a rinn e na shaoghal mar mhanaidsear.

Agus 's e bhith a' cruthachadh sgiobaidhean an t-alt as treasa a th' aige agus dhearbh e sin an Obar-Dheathain, ach gu seachd-àraidh nuair a ghluais e gu deas cuideachd - ach a-mhàin gu robh diofar mòr na fhàbhar - 's e sin gu robh stòras cha mhòr gun chrìch aig United (bargan mar eisimpleir le Nike luach £303 millean airson taice) agus luchd-taic - 67,000 aig a h-uile gèam an Old Trafford - a bha ro-dheònach togail air na rinneadh len làmhan a chur nam pòca chum math an sgioba.

Am meadhan nan 1990an leig Ferguson fhaicinn cho lèirsinneach 's a bha e agus cuideachd cho làidir 's a dh'fheumadh e bhith. Leig e triùir a-mach à Old Trafford a bha gu leòr a' smaoineachadh nach fhalbhadh gu sìorraidh - Paul Ince, Adrei Kanchelskis agus Mark Hughes. Ach chuir e daoine nan àite a thug United air adhart gu gnìomhan sònraichte agus àirde-cluiche nach gabhadh tomhas a rèir na thachair roimhe.

Thàinig sin gu ìre an oidhche a ghlèidh United farpais na h-Eòrpa an aghaidh Bayern Munich ann an 1999 anns an Nou Camp am Barcelona. Bha diogan air fhàgail agus Munich air thoiseach. Bha an gèam aca. Bha iad a' toirt chluicheadairean far na pàirce gan deisealachadh airson a' phàrtaidh. Ach chuir United dà thadhal am priobadh na sùla agus bha an aon rud a bha a dhìth air Ferguson a-nis aige - an Roinn Eòrpa fo chasan, chan e a-mhàin na rinneadh am Barcelona. Taobh a-staigh beagan làithean bha e air an Lìg, Cupa an FA agus farpais na h-Eòrpa a bhuinig. Eachdraidh an sgioba air tighinn gu ìre agus na taibhsean a bha gam buaireadh bho Munich ann an 1956 air an cur an dàrna taobh. Nach àraid a-rèist gur ann air an oidhche a bha Busby air a bhith 90 nam biodh e beò a thog United an Cupa am Barcelona.

Ann an Alba, ann an seachd bliadhna gu leth an Obar-Dheathain, chaidh aig Ferguson air cumhachd Rangers is Celtic a bhriseadh, a' buinig Lìg, Cupa, is Cupa Lìg grunn thursan. Os cionn United, tha e air Sasainn a chur fo chasan - an Lìg a bhuinig sia tursan mar eisimpleir, Cupa an FA ceithir tursan - agus air grèim teann a chumail air an Roinn Eòrpa far nach eil eagal aige fhèin no aig a' chuid chluicheadairean a' phàirc a ghabhail an aghaidh duine sam bith. Dhearbh e uair is uair nach eil a leithid ann a thaobh tomhas dhaoine, gan robhaigeadh agus gan ceannach (is reic, mar a fhuair cuid a-mach).

Chaidh Ferguson a mheasadh mar am manaidsear a b' fheàrr an Sasainn airson ceithir bliadhna a-mach à còig aig deireadh na linne. Tha e air cur roimhe a dhreuchd a leigeil dheth sa Chèitean 2002, nuair a ruigeas e 60. Mo thruaighe am fear a thig às a dhèidh agus a dh'fheuchas ri na rinn e a leantainn. Agus Ferguson fhèin? Aig deireadh sèasan 2000-2001 chan eil e soilleir dè tha roimhe. Cha bhi e mar bha dùil, a' siubhal an t-saoghail a' lorg chluicheadairean ùra a chumas United air an àrd-spiris far an do chuir e fhèin iad. Cha do rinn e dona airson fear a dh'fhàg Baile Ghobhainn gun cus aige ach a chreideas agus a mhisneachd, mar a dh'aidich e fhèin uair is uair. Fiù mus tug a' Bhànrigh urram Ridire dha, mus d' fhuair e saorsa baile àraich, 's mus do chuir e saoghal ball-coise fo chasan.

Best, *George* (1946-)

Nuair a chaidh George Best a Mhanchester, cha robh e ach còig bliadhn' deug a dh'aois, ach mus do dh'fhàg e ceann a tuath Shasainn, bha e air saoghal ball-coise a chur fo chasan, agus air ìomhaigh agus a chliù fhein a sgaoileadh air feadh an t-saoghail.

Cha robh duine na b' ainmeile a' cluich na là, air oir chluicheadairean-aghaidh Mhanchester United, agus cha robh e ach 22 nuair a thog Man Utd am prìomh dhuais anns an Roinn Eòrpa, Cupa na h-Eòrpa, aig Wembley ann an 1968, a' dèanamh a' chùis air Benfica 4-1. Bha e an uair sin fhèin air dà lìg a bhuinig còmhla ri Law, Charlton is càch, ann an sgioba a bha cho math ri gin a thàinig còmhla ann an Sasainn an dèidh a' chogaidh.

Bha sgilean air leth aig Best. Cha robh duine a ruitheadh le bàlla coltach ris. Bha e am measg na feadhainn a bu mhotha a bha a' cur de thadhail gach sèasan, fiù bhon iomall, agus bha e air leth iomchaidh gun cuireadh e tadhal èibheiseach air an oidhche ud ann a Wembley nuair a thog Man Utd an Cupa. Chaidh urraman a bhuileachadh air mar shàr-chluicheadair na bliadhna an dà chuid am Breatainn fhèin agus anns an Roinn Eòrpa.

Mar a bu mhotha a bha an othail mu dheidhinn Best a' fàs ged-tà - 's dòcha nach robh duine am Breatainn a tharraing uimhir de dh'aire a' mhòr-shluaigh agus nam meadhanan ach na Beatles a-mhàin - 's ann a bu duilghe a bha cùisean do Bhest fhèin. Bha Best, a rèir chuid, na Bheatle fada mus robh na Beatles iad fhèin. Càraichean spaideil, boireannaich agus deoch làidir.

Thàinig a h-uile crois a bha an lùib an airgid agus an dòigh-beatha sin air an Eireannach. 'Best and the Birds' dìreach aon ceann-naidheachd a chroch mu amhaich agus a thug, an ceann sreath, gu làr e.

Cha robh dol às aig Best agus rè ùine, bha daor cheannach aige air an dòigh-beatha. Bha buaidh aig na bha e a' cur seachad de dh'ùine ann an taighean-seinnse air an trèanadh aige, agus air a chluich. Dh'fhàg e Manchester United is e dìreach 27, an dèidh 131 tadhal a chur ann an 361 gèam. Chaidh e a chluich dha na Stàitean, agus thill e gu Fulham agus gu Hibernian ann an Alba.

Chan eil sin ach earrann dhen sgeulachd ged-tà do dhuine a chuir làmh ri bheatha fhèin agus a chuir seachad ùine anns a' phrìosan. Sgaraidhean-pòsaidh, cion-airgid, èiginn slàinte - bha iad uile ga chuairteachadh fad a bheatha agus e, cleas iomadach neach-spòrs eile, air a bheatha a sgrios le deoch. Cha do chuir sin stad air aon duine ged-tà bho bhith a' toirt fiathachadh dha a thighinn air an telebhisean airson amadan a dhèanamh dhe fhèin no a dhol gu dìnneir far am biodh e ann an tuilleadh cunnairt na bhodhaig, na inntinn agus na chaitheamh-beatha gu lèir.

Ann an 2000, bha e a' tighinn beò le rabhaidhean nan dotairean na chluasan gach là gun cuireadh aon deoch às dha. Cha do chaomhain sin e ged-tà bho dhaoine a bha airson an dearbh phuinnsean a thoirt dha. Chan eil ann am Best an-diugh ach faileas dhen duine a bha uaireigin a' falbh mar ghobhlan-gaoithe ri oir na pàirce, am bàlla mar gum biodh e air sreang ri chois, agus cluicheadairean eile a' cur charan às a dhèidh. Nam b' e Brazilian a bh' air a bhith ann, bha cùisean air a bhith 's dòcha eadar-dhealaichte. 'S dòcha. Ach do ghille òg a thàinig a-mach à Beul-feairte agus a chuir a shaoghal fo chasan mus do thuig e càit an robh e, 's dòcha nach robh a' chòrr crìoch gu bith air an sgeulachd.

Banks, *Gordon* (1937-)

Chan eil aon neach-gleidhidh ann an saoghal ball-coise Shasainn a choisinn uimhir de chliù ri Banks. Agus ged bha e na bhall dhen sgioba a bhuinig Cupa na Cruinne aig Wembley ann an 1966, 's dòcha gur ann airson aon bhriobadh sùla a bhios cuimhne aig a' mhòr-chuid air - nuair a dh'fheuch Pele ris am bàlla a chur dhan lìon ann am Mexico ann am Farpais na Cruinne, agus a chaidh aig Banks air a chur an-àird thar mullach an tadhail. Sna beagan dhiogan a bha sin, thàinig an cluicheadair a b' fheàrr agus an neach-gleidhidh a b' fheàrr a bha san t-saoghal còmhla, agus 's ann aig an neach-gleidhidh a bha làmh an uachdair.

Bha Banks na chluicheadair proifeiseanta mus robh e 20 còmhla ri Chesterfield ann an 1958-59, agus bha e a' cluich dha Leicester City mus robh e 23. Chluich e beagan a bharrachd air 500 gèam ann am farpaisean lìg agus 73 uair do sgioba Shasainn. Agus gu h-annasach do dh'fhear-gleidhidh, chaidh ainmeachadh ann an 1972 mar an cluicheadair a b' fheàrr ann an Sasainn.

Bha sin sia bliadhna an dèidh dha Cupa na Cruinne a thogail còmhla ri Sasainn an aghaidh na Gearmailt, agus bha e fhathast a' cluich dha Leicester. Bliadhna an dèidh sin ged-tà, chaidh a reic ri Stoke City airson £25,000. Sin a bha an neach-gleidhidh a b' fheàrr san t-saoghal a' cosg aig an àm. An dèidh bhith a' cluich dhaibhsan airson trì bliadhna, chaidh ainmeachadh mar sgiobair, rud a bha, agus a tha fhathast, gu math neo-àbhaisteach do neach-gleidhidh. 'S e bh' anns an tadhal dha Stoke nuair a chluich iad Chelsea ann an cuairt dheireannaich Chupa an Lìg ann an 1972, agus rinn Stoke a' chùis. Bha e air an dearbh chupa a bhuinig aig Wembley ann an 1964 agus nochd e an sin cuideachd ann an cuairt dheireannaich Chupa an FA dà thuras, ga bhuinig ann an 1961 agus a' call ann an 1963.

Bliadhna an dèidh dha a bhith ann còmhla ri Stoke ged-tà, bha Banks ann an tubaist rathaid agus chaidh a fhradharc a mhilleadh, a' ciallachadh nach b' urrainn dha leantainn a' cluich. Tha e air ainm is cliù a chosnadh dha fhèin on uair sin ged-tà, mar neach-goilf a' cluich do chathrannais. Tha fèill mhòr air cuideachd mar neach-lìbhrigidh aig dìnneirean air feadh an t-saoghail. Fhuair e urram an OBE bhon Bhànrigh ann an 1970, mar chomharra air na rinn e do shaoghal ball-coise.

Sa Mhàrt 2000, reic e am Bonn Oir a fhuair e an 1966, ag ràdh gu robh an t-airgead gu barrachd feum dha chuid teaghlaich.

Greig, *John* MBE (1942-)

Cha do chuir e iongnadh mòr sam bith air daoine nuair a chaidh John Greig ainmeachadh mar an cluicheadair a b' fheàrr riamh a bh' aig sgioba Rangers. Cha robh sin a' ciallachadh idir an inntinnean dhaoine gur e Greig an cluicheadair a bu sgileil riamh air an deach bròg taobh staigh Ibrox. Cha chanadh e fhèin sin. Ach bha na nochd ann an cunntas-sluaigh na thomhas air a' bheachd a ghabh am mòr-shluagh air Greig, a chluich dha Rangers fad a bheatha, agus a chaidh air adhart gu bhith na mhanaidsear air an sgioba - gu dearbha an t-aon duine riamh aig Rangers a chaidh dìreach bhon phàirce-chluich chun na h-oifis sin. Agus bha an tomhas cuideachd na mheasadh air a' bheachd a bh' aig daoine air Greig mar sgiobair air Alba.

Chluich Greig airson 18 bliadhna ann an lèine ghuirm Rangers (gu h-annasach 's dòcha do fhear a rugadh is a thogadh an Dun Eideann), agus bha e na sgiobair nuair a thog Rangers Cup Winners na h-Eòrpa ann an 1972. Chluich e ann an trì sgiobaidhean a thog an Treble agus am measg nan duais eile a ghlèidh e còmhla riutha bha còig farpaisean Lìg, sia Cupannan Albannach agus ceithir Cupannan Lìg. Cha mhòr nach do rinn e an leth-cheud dheth ann a bhith a' cluich do dh'Alba, a' cluich ann an 44 gèam, agus bha e na sgiobair am measg na feadhainn a bu threise a sheas còraichean na h-Alba nuair bu duilghe a bha cùisean a' dol air a' phàirce. Bha fhios aig a h-uile duine gu robh thu na b' fheàrr le Greig san sgioba agad no a' cothachadh nad aghaidh. Fiù luchd-taic Celtic.

Dh'fhàg Greig a làrach air sgiobaidhean Rangers fad nan ochd bliadhn' deug, a' cluich ann an diofar raointean dhen phàirce, aig a' chùl, anns a' mheadhan agus dìreach air cùl nan cluicheadairean aghaidh, a' cumail taic riutha. Bha e cuideachd a' cluich aig amannan a bha doirbh do Rangers fhèin, ged a thog e iomadach duais. 'S e a chuid dhìlseachd dhan sgioba, a dh'aindeoin is gach tagradh a thàinig a rathad a thaobh gluasad a Shasainn mar eisimpleir, a chomharraich gu buileach e. Bha earbsa aig a cho-chluicheadairean ann; bha an aon tomhas aig gach manaidsear a bh' aige gur e an duine a b' fheàrr os cionn chàich.

Agus nuair a sguir e a chluich anns a' Chèitean 1978, an dèidh do Rangers an Treble a thogail airson an dàrna turas an trì bliadhna (b' e Greig an aon chluicheadair aig Rangers riamh a thog trì Trebles) cha robh guth gu robh am manaidsear, Jock Wallace, an ìmpis falbh. An dèidh 753 gèam a chluich, agus e air a bhith air a thomhas mar an cluicheadair a b' fheàrr an Alba ann an 1966 agus 1976, fhuair Greig fios air a' fòn bho Willie Waddell a' tairgsinn na h-obrach dha.

Anns a' chiad shèasan, theab Greig an Treble a bhuinig. Rinn Rangers a' chùis air Hibs ann an cuairt dheireannaich a' Chupa aig an treas oidhirp agus Cupa an Lìg an aghaidh Obar-Dheathain. Ach thug Celtic a' char às anns an Lìg. Rinn Greig cuideachd deagh oidhirp anns an Roinn Eòrpa le Rangers, a' faighinn chun na ceathraimh cuairt deireannaich de Chupa na h-Eòrpa. Ach aig an dachaigh, bha an Lìg a' faileachadh air Greig, agus anns an Dàmhair 1983, leig e dheth a dhreuchd, agus thill Jock Wallace na àite.

Cha robh sin a' ciallachadh gu robh Greig a-mach an doras. Cha mhotha a bha luchd-taic an sgioba airson cùl a chur ris. Nochd 65,000 chun gheama shònraichte a chaidh a chluich aig Ibrox mar chomharradh air an spèis a bh' aig a cho-chluicheadairean agus an luchd-taic dha aig ceann a làithean fhèin mar chluicheadair. Fhuair e dreuchd ùr taobh a-staigh Ibrox an ceann sreath agus o 1990 tha e air a bhith os cionn roinn mheadhanan an sgioba. Tha a chliù agus a sheasamh ann an Ibrox mar bha e riamh, mar a dhearbh an cunntas-sluaigh ann an 2000, agus 's e fear dhen fheadhainn a chaidh a chomharrachadh le Daibhidh Moireach, leis a bheil Rangers, airson taic a chumail ri Dick Advocaat, nuair thàinig e fhèin gu Ibrox airson an sgioba a ghabhail os làimh.

Cho fad 's a chì luchd-taic Rangers, fhad 's a bhios Ibrox ann agus lèine ghorm air an sgioba, bidh àite aig Greig am Baile Ghobhainn agus gu dearbh am baile Ghlaschu. Chaidh an MBE a bhuileachadh air ann an Liost na Iubailidh ann an 1977.

Baxter, *Jim* (1939-2001)

Chuireadh a' mhòr-chuid de luchd-leantainn ball-coise an Alba Jim Baxter an teis-meadhan sgioba Alba, air thoiseach air neach sam bith eile - fiù an fheadhainn a bha a' toirt an làn thaic do Celtic agus nach lùigeadh gun cuireadh cluicheadair bho Rangers cas am bròig idir, gun tighinn air a bhith a' cur air lèine Alba.

Tha Baxter ann an iomadach dòigh na shamhla air ball-coise an Alba. Bha e tàlantach bho bhrògan suas; bragail na dhòigh is na ghiùlain gu ìre far an robh sin aig amannan cunnartach dha fhèin agus na bha na chuideachd; agus le laigse na shaoghal phearsanta a dh'fhàg iomadh uair e, ann an uchd a' bhàis is a shlàinte air briseadh fo bhuaidh na dibhe.

Ach 's e glè bheag de chluicheadairean thar nam bliadhnaichean a choisinn uimhir de dh'urram is de chliù aig ìre eadar-nàiseanta. Agus bha 'Slim Jim', mar a b' fheàrr a b' aithne dhan mhòr-shluagh e, na ìomhaigh aig gach cluicheadair òg a bha a' ruith an dèidh bàlla anns na 1960an. Ma bha sin fìor an Alba gu lèir, bha e seachd tursan fìor mun cuairt air Ibrox. Chluich Baxter an aghaidh Celtic 18 tursan eadar 1960 agus 1965. Cha do chaill Rangers ach dhà dhe na geamannan sin. Agus dà thuras eile, ghlèidh sgioba Alba, le Baxter aig a' chridhe, an aghaidh Sasainn aig Wembley. An 1963, chuir e an dà thadhal a fhuair Alba nuair a ghlèidh iad 2-1. Ach ann an 1967 thàinig a' bhuaidh a bu mhotha a ghabh Baxter no Alba riamh 's iongantas.

Bliadhna ron sin, thog Sasann Cupa na Cruinne air an dearbh raon. An 1967, an dèidh do Shasann, a rèir Billy Bremner, an sgioba aca a neartachadh airson cluich an aghaidh Alba, ghlèidh Alba 3-2 agus bidh ìomhaigh Bhaxter gu sìorraidh beò am mac-meanmna luchd-leantainn na h-Alba agus e falbh is stocainnean mu adhbrannan, a' cluich le Sasainn.

'S ann le Rangers a bu mhotha a chuir Baxter ri eachdraidh ball-coise na dùthcha ged-tà. Chluich e 254 gèam dhaibh, agus bha e na phàirt de sgioba a thog an lìg trì tursan, Cupa na h-Alba trì tursan agus Cupa an Lìg ceithir tursan.

B' eu-coltach Baxter mu dheireadh ris an duine sin a bha mar cheannard air orcastra, a' robhaigeadh sgioba a bha làn de chluicheadairean a tha an-diugh nan samhlaidhean nàiseanta. An 1994 fhuair Baxter dà ghrùthan ùr an dèidh bliadhnaichean de bhochdainn agus dìth slàinte, a bheatha air a sgrios leis an deoch. Ceithir bliadhna an dèidh sin bha e anns an ospadal a-rithist le trioblaidean cridhe agus e a-rithist air laighe air an daoraich. Bha am mòr-shluagh air an uabhasachadh agus brath ga ghabhail air seirbheis na slàinte. Ach bha gu leòr ann a bha a' toirt mathanas dha an dèidh na rinn e, agus gu sònraichte an dèidh is mar thug e a' char à Sasainn uair is uair.

Mar fhear a thòisich a shaoghal-cosnaidh ann am mèinnean am Fìobha agus a chaidh a shoidhnigeadh airson £2.50 leis a' chiad sgioba aige, dh'èirich Baxter os cionn chàich - bho Hill o' Beath Boys Club gu Raith Rovers; gu Ibrox ann an 1960. 'S e 'A' Mhiotag' a bh' aige air a chois cheàrr a bha mar bhogha air fidhill.

Nuair dh'fheuch e ri cus airgid a dhìgeadh à Rangers, (bha e ag iarraidh £100 san t-seachdain) theabas a chall gu Tottenham Hotspur a bha ga iarraidh an àite Danny Blanchflower. Chaidh £80 a thairgse dha le Sunderland agus chaidh a reic air £75,000.

Cha d' fhuair e riamh seachad air mar a bhris e chas ann an 1964 chanadh cuid. Bha e bliadhna a-mach às a' ghèam agus cha do chuidich sin e, leis an t-seòrsa dòigh-beatha a bh' aige. Bliadhna ron sin chuir e slaic-peanais an aghaidh Gordon Banks aig Wembley - a' chiad slaic-peanais a ghabh e riamh. Agus 's ann suas is suas a bha e a' dol, gus an tàinig e sìos le brag. Reic Sunderland e ri Nottingham Forest an 1967 airson £100,000 - 's dòcha £14 millean is còrr san là an-diugh. An dèidh 48 gèam an sin, thill e gu Rangers an asgaidh. Sguir e a chluich aig 30; ceannaich e taigh-seinnse, agus cleas iomadach fear a chaidh roimhe, 's ann sa chùirt a bha a cheann-uidhe. Chaochail Baxter an 2001 agus aillse air a bhuaireadh a bharrachd air gach trioblaid slàinte eile a bh' air.

Ach aig deireadh an là, am measg chluicheadairean leithid Law, Bremner is eile, chan eil luaidh nas àirde a ghabhas dèanamh na briathran Sir Alex Ferguson: ''S e Baxter a b' fheàrr'.

Busby, *Sir Matt* (1909-1994)

Ma tha ainm Sir Alex Ferguson an-diugh air a cheangal ri Manchester United agus a chliù air a dhearbhadh air feadh an t-saoghail, tha gu leòr a chanadh gu bheil na gnìomhan a rinneadh aig Old Trafford stèidhichte air na chaidh a bhuinig leis an sgioba fhad 's a bha Matt Busby nach maireann aig an stiùir.

Nuair a chaidh Busby a chur na mhanaidsear air an sgioba le na stiùirichean ann an 1945, b' e seo ceum cho cudthromach 's a rinneadh an eachdraidh Mhanchester United gu lèir, fiù a' gabhail a-staigh na rinneadh le Ferguson. 'S e thachair gun tug Busby a' bhuidheann agus na bha a' tachairt ann am Manchester gu ìre gu math nas àirde agus gu raon gu math nas fharsainge, air a' cheann thall a' cur na Ròinn Eòrpa fon casan.

Cleas iomadach neach eile, chaidh Busby a-mach bho chrìochan Alba airson buaidh a thoirt air saoghal ball-coise an Sasainn - mac mèinneir a chaidh a chluich còmhla ri Manchester City agus Liverpool ron Dàrna Cogadh. Cha do chluich e do dh'Alba ach an aon turas ann an geamannan ceart, ged a bha e na sgiobair air Alba an grunn gheamannan tro bhliadhnaichean a' Chogaidh fhèin. Nuair a chaidh e gu United aig deireadh a' Chogaidh, cha robh fiù dachaigh aca agus Old Trafford air a mhilleadh le na Gearmailtich. 'S ann aig Maine Road a bha United a' cluich gus an deach aig Busby agus aig an fheadhainn a bh' air a chùl air na h-èibhlean a thoirt beò agus lasair a chur riutha.

Taobh a-staigh trì bliadhna bha e air sgioba gleusta a tharraing còmhla agus Cupa an FA a bhuinig, agus an ceann ceithir bliadhna eile bha e air a' phrìomh fharpais, an lìg, a thogail - a' chiad turas a bha United air sin a dhèanamh ann an 41 bliadhna. Anns na sia bliadhna on ghabh Busby thairis an sgioba, cha do chrìochnaich iad nas ìsle na anns a' cheathramh àite anns an lìg.

Còmhla ri caraid dha, Jimmy Murphy, thòisich Busby a' lorg chluicheadairean ùra, gan cuideachadh, gan trèanadh agus gam brosnachadh gu gnìomhan mòra.

Am measg na feadhainn a chomharraich iad bha Roger Byrne, Tommy Taylor, Duncan Edwards agus Bobby Charlton. Le na cluicheadairean sin nam bonn-stèidh anns an sgioba, chaidh United air adhart an 1956 agus 1957 gus an lìg a thogail a-rithist am bliadhnaichean sreath a chèile. Agus bha Busby a-nis air a shùilean agus a rùintean a thogail chun na Roinn Eòrpa, agus e a' feuchainn air saoghal gu math nas fharsainge na bha roimhe sin air fàire - saoghal ball-coise Bhreatainn. An 1957 chaidh e cho faisg 's a chaidh duine gu ruige sin air an lìg agus an Cupa a bhuinig.

Ach chuir an tubaist adhair am Munich an 1958 às do mhòran a bha an ìmpis a bhith an grèim United agus Busby. Theab Busby a bheatha a chall anns an tubaist san deach a' mhòr-chuid dhen sgioba a mharbhadh. Bha e fhèin air a ghoirteachadh cho dona is gun deach Ollachan a' bhàis a thoirt dha le sagart. Thàir leithid Bobby Charlton às an tubaist le bheatha fhèin agus bha an dithis còmhla on uair sin agus iad a' feuchainn ri United a thogail air ais bhon sgrios a chuir gu làr iad, nuair a bha iad an ìmpis a bhith aig an àirde.

Ach taobh-staigh còig bliadhna eile, bha United a-rithist am measg shàr sgiobaidhean Bhreatainn. Lorg Busby agus Murphy cluicheadairean eile leithid Denis Law agus Paddy Crerand a chuir iad ri taobh Charlton agus bhuinig iad an Cupa a-rithist an 1963, ged a theab iad a dhol sìos bhon chiad lìg. Agus dà bhliadhna an dèidh sin, bha an lìg fhèin aca, is Busby a-rithist, gu mìorbhaileach, an dèidh fichead bliadhna air an stiùir, a' feuchainn anns an Roinn Eòrpa. Agus aig Wembley ann an 1968, an aghaidh Benfica, fhuair Busby an rud a bha a dhìth air, United a' buinig sàr fharpais na Roinn Eòrpa, agus Charlton aig cridhe an sgioba. Bha fios aig a h-uile duine gur e sin an cothrom mu dheireadh a bhiodh aig Busby air an fharpais a thogail.

Leig e dheth a dhreuchd agus chaidh e gu bhith na àrd-mhanaidsear, suidheachadh nach do sheas ach gu 1970 nuair a chaidh Wilf MacGuinness, a bh' air àite a ghabhail, a chur an dàrna taobh. Chaidh Busby air an stiùir aon uair eile, gan caomhnadh bho thrioblaidean an ìre mhath èiginneach, agus mu dheireadh an 1971, leig e dheth a dhreuchd airson an turais mu dheireadh.

Chaidh urram Ridire a bhuileachadh air Busby an dèidh do Mhanchester United Cupa na h-Eòrpa a bhuinig (rud nach do thachair do Jock Stein, ach a thachair a-rithist le Ferguson), agus chaidh iomadach urraim a chur air am Manchester fhèin airson a' phàirt a bh' aige an eachdraidh an sgioba. Chaidh saorsa a' bhaile a thoirt dha an 1967, agus mu dheireadh bha e na cheann-suidhe air United fhèin agus na bhall-beatha de lìg Shasainn.

Thachair sin uile an dèidh do Liverpool, Reading agus Ayr United diùltadh an cothrom a ghabhail air mar mhanaidsear ann an 1945. 'S beag a tha dh'fhios aca fiù a-nis, na cothroman a chaill iad nuair a chaidh Busby gu United airson £15 anns an t-seachdain.

Matthews, *Sir Stanley* (1915-2000)

'S dòcha gur e Stanley Matthews an cluicheadair ball-coise a b'ainmeile a bh' anns an 20mh linn. Fear nach robh cho ainmeil airson a bhith a' cur thadhal (ged a chuir e 71 san lìg agus 11 gu h-eadar-nàiseanta) ach airson a chuid sgil leis a' bhàlla; mar a rachadh aige air faighinn seachad air daoine air iomall na pàirce agus air cothroman a chruthachadh do dhaoine eile.

Thòisich Matthews a' cluiche gu proifeiseanta an toiseach an 1932 dha sgioba Stoke aig aois 17 agus taobh a-staigh dà bhliadhna chluich e do Shasainn airson a' chiad uair, (an aghaidh na Cuimrigh) a' dol air adhart gu cluich 54 turas uile gu lèir. Cha do chuir e trì tadhail an gèam eadar-nàiseanta ach aon uair, an 1937 an aghaidh Czechoslovakia.

Nuair a chriochnaich an Cogadh, chaidh Matthews a reic ri Blackpool, gnothach a chur uabhas air luchd-taic sgioba Stoke. Bha a' phrìs a chaidh a thoirt air, £11,500 na thomhas air an luach a bh' ann agus e air ainmeachadh an 1948 mar chluicheadair na bliadhna. Aig Blackpool bha e a' cluich còmhla ri cluicheadair ainmeil eile, Stan Mortensen agus thàinig an càirdeas eatarra gu ìre ann an gèam a tha a-nis air ainmeachadh mar 'Matthew's Final' - cuairt dheireannach Cupa an FA ann an 1953. Bha an dithis sin gu mòr air cùl na thachair an là sin nuair a ghlèidh Blackpool 4-3.

A bharrachd air a sgil air iomall na pàirce bha rud eile a bha sònraichte mu Mhatthews agus b' e sin cho fada 's a bha e a' cluich. Chluich e an gèam mu dheireadh aige do Shasainn ann an 1957 aig aois 42, agus thill e a chluich dha Stoke a-rithist aig aois 47. 'S dòcha gu dearbh gur ann an 1956-7 a bha e aig àirde ann an dòigh agus e air ainmeachadh mar an cluicheadair a b' fheàrr san Roinn Eòrpa san dà bhliadhna. Thàinig 27,000 neach a bharrachd air an àbhaist a choimhead a' gheama sin air sgàth is gu robh Matthews a' cluich. Agus bha uimhir a bhuaidh aige air Stoke 's gun deach aca air a' chùis a dhèanamh faighinn a-mach às an dàrna lìg ann an 1962. Chaidh ainmeachadh a-rithist mar chluicheadair na bliadhna ann an 1963. Thar nam bliadhnaichean, chluich e 701 gèam anns an lìg a-mhàin agus bha geamannan eadar-nàiseanta, geamannan ann an dà fharpais airson Cupa na Cruinne agus geamannan aig àm a' Chogaidh (30 gèam eadar-nàiseanta nam measg) a bharrachd air sin. Am measg nan geam a chluich e aig àm a' Chogaidh bha grunn an Alba, far an do chuidich e Rangers, Airdrie agus Morton.

Bha Matthews beò agus a' cluich ann an linn nach buin dhuinn an-diugh. Bha e na chleachdadh an uair sin a bhith a' cluich fad bhliadhnaichean do dh'aon sgioba no dhà 's dòcha aig a' char a b' fhaide. Agus ged a tha e cho ainmeil mar chluicheadair, bu chòir cuimhneachadh gu bheil a chliù stèidhichte air fad a bharrachd na dìreach an aon Bhonn a fhuair e sa chuairt dheireannaich agus aon Bhonn airson an dàrna lìg a thogail còmhla ri Stoke. Bha e cuideachd ainmeil airson an dòigh anns an do choimhead e às a dhèidh fhèin, a' trèanadh gun sgur agus a' seachnadh nan trioblaidean a bha a' buaireadh iomadach cluicheadair roimhe agus às a dhèidh.

Sguir e a chluich mu dheireadh thall ann an 1965 aig aois 50, an dearbh bhiadhna san deach urram Ridire a bhuileachadh air leis a' Bhànrigh. Chaochail e sa Ghearran 2000, aig aois 85, aig deireadh na linne, mar a bha, 's dòcha, fìor iomchaidh.

McCoist, *Ally* (1962-)

Chan eil cluicheadair an eachdraidh Rangers a-nis a chuir barrachd thadhal na Ally McCoist, le còrr is 300 tadhal ann am barrachd air 500 gèam. Agus mur biodh an ùine a chuir e seachad a' cluich do sgiobaidhean eile leithid St Johnstone agus Sunderland an Sasainn agus mu dheireadh Cill Mheàrnaig, 's ann aig Sealbh a tha brath cia mheud a bha e air fhaighinn air a' cheann thall. 'S e 'Super Ally' cuideachd a bu mhotha a chur de thadhail ann an Lìg na h-Alba nuair a chaidh e seachad air an 264 aig Gordon Wallace.

Agus dhearbh McCoist dà thuras, an 1992 agus 1993, gu robh e am measg sàr chluicheadairean aghaidh na Roinn Eòrpa nuair a thog e Bròg an Oir (a' chiad Albannach a rinn sin), an duais airson a' chluicheadair a bu mhotha a bha a' cur de thadhail ann an aon sèasan.

Chuir McCoist 15 bliadhna seachad aig Ibrox agus chaidh e air adhart gu bhith na neach-spòrs cho ainmeil 's a bha ri lorg san dùthaich. Anns na còig bliadhn' deug sin, 's e bu mhotha a chuir de thadhail ann an 9 dhiubh. Pearsanta na dhòigh, agus eirmseach na nàdar, cha robh e na iongnadh aig deireadh a chuid chluiche ged a bhiodh e a' cur seachad barrachd ùine air an telebhisean na bha e air a' phàirc. 'S iomadh uair a thuirt e fhèin nach robh ann a bhith cluich ball-coise ach spòrs, agus gu robh e cho fortanach ri neach a chuir cas am bròig gun d' fhuair e gu bhith cluich do Rangers.

Cha robh cùisean buileach cho rèidh dha McCoist nuair a thòisich e a' cluich do St Johnstone ann am Peairt. Cha robh e fada gus an do choisinn e cliù ged-tà (chuir e trì an aghaidh Rangers aon turas!) agus bha e fhathast na dheugaire nuair a reic St Johnstone e airson £350,000 anns an Lùnastal, 1981. Bha dòchas sam bith a nochd an sin an ceann sreath air a chur an dàrna taobh an dèidh dha ùine a chur seachad ann an Sasainn aig Sunderland. Ach 's ann nuair a thill e dh'Alba an 1983 airson £185,000, agus nuair a chaidh e fo sgèith Jock Wallace aig Ibrox a chunnacas na sgilean a bh' aige air beul an tadhail gu sònraichte. Ach bha a thrioblaidean an sin fhèin aige cuideachd, ged nach eil sin air aire dhaoine mar as trice. Theab Wallace a reic ri Cardiff City agus bha an luchd-taic gu math trom air McCoist aig amannan.

Chluich e do dh'Alba airson a' chiad turais ach chaidh a shaoghal a mhilleadh gu buileach nuair bhris e a chas an aghaidh Portugal an 1993, gnothach a chuir a-mach à ball-coise e airson dà bhliadhna. Ged a chuir sin maille air, agus mar a tha furasta thuigsinn, bha gu leòr dhen bharail nach robh e a-riamh cho math 's a bha e roimhe sin àn dèidh na thachair, chuir e an tadhal a bhuinig an gèam do dh'Alba an aghaidh nan Grèigeach nuair a thill e a chluich.

Bha na bliadhnaichean mu dheireadh aig McCoist fo Ghraeme Souness gu math riaslach agus bha ùineachan ann far nach robh McCoist a' faighinn gèam idir. Chaidh aige air cluich do dh'Alba a-rithist ged-tà an 1998, nuair a chaidh a thaghadh airson an 61mh uair an aghaidh Estonia.

Chaidh McCoist gu Kilmarnock nuair a bha e deiseil aig Rangers, ach 's ann ainneamh a bha e a' cluich an sèasan 2000-2001. Chluich e an gèam mu dheireadh (gu h-oifigeil) aige sa Chèitean 2001. Tha saoghal ùr eile air fosgladh dha agus e air a bhith ann am film a chaidh a riochdachadh le Robert Duvall. Tha McCoist a' cluich dha sgioba Phortnockie, a' tilleadh a chluich agus a' feuchainn ris an sgioba a chaomhnadh agus am fear Aimeireaganach leis a bheil iad a' bagairt an reic ri companaidh Eireannach. Mar a bhiodh dùil, tha an slaic mu dheireadh sa ghèam air fhàgail an làmhan 'Super Ally'. Tha e a-nis coltach gur ann an saoghal telebhisein a bhios e a' tighinn beò.

Fhuair e an MBE airson na rinn e am ball-coise agus nuair a chaidh gèam a chluich aig Ibrox san Lùnastal 1993 mar chomharradh air na rinn e dha Rangers, bha 42,000 an làthair, na thomhas air a mhòr-spèis a bh' aig an luchd-taic dha. Agus nuair a thig e gu sin a thomhas ann an eachdraidh, chan eil ach John Greig 's dòcha air an robh an luchd-taic nas measail. 'S beag a tha chuimhne aig daoine ged-tà gun do dhiùlt e a' chiad chothrom aige dhol gu Rangers nuair nach robh e ach sia bliadhn' deug.

McNeill, *Billy* (1940-)

'S e Billy McNèill a' chiad chluicheadair ball-coise à Breatainn a bha na sgiobair air buidheann a thog Cupa na h-Eòrpa. Agus le far-ainm mar 'Caesar' bha e na shamhla air na cluicheadairean sònraichte a dh'èirich a-mach à baile Ghlaschu am meadhan agus aig deireadh nan 1960an agus a chuir an saoghal gu ìre mhòir, gun tighinn air an Roinn Eòrpa, fon casan.

Rugadh McNèill ann am Bellshill an Siorrachd Lannraig (an t-aon àite ri Ally McCoist!) agus o 1965, bha e aig cridhe sgioba Celtic, a' togail, am measg dhuaisean eile, naoi farpaisean lìg. Bha e cuideachd na chluicheadair air leth do dh'Alba ged a tha e 's dòcha iongantach le cuid nach do chluich e dhan sgioba nàiseanta ach 29 turas. (Cha deach ro mhath leis a' chiad turas. Chaill Alba 9-3 ri Sasainn aig Wembley). Cluich e faisg air 800 gèam dha Celtic fhèin ged-tà, agus b' e an gèam a b' ainmeile, tha fhios, an gèam sin far an deach a' chùis a dhèanamh air Inter Milan ann an Lisbon airson Cupa na h-Eòrpa a thoirt air ais a dh'Alba airson a' chiad uair.

Mar chluicheadair dìon aig Celtic agus do dh'Alba, cha robh cus dhe leithid a' cluich aig an àm - math le cheann, cinnteach is earbsach an gàbhadh, treun an aghaidh chàich, agus na shàr-sgiobair air a' bhuidhinn. Bha e cuideachd math air tadhail a chur a dh'aindeoin is ged 's ann aig a' chùl a bha e a' cluich, mar as trice le cheann, bho shlaicean-oisein, agus chuir e tadhail ann an trì cuairtean deireannach de Chupa na h-Alba - ann an 1965, 1969 agus 1970.

Nuair a thog Celtic Cupa na h-Alba an 1965, cha robh sin ach na thoiseach tòiseachaidh air sreath de bhuaidhean far an deach Jock Stein, a bha a-nis na mhanaidsear, agus McNèill còmhla airson sgioba a bh' air leth an eachdraidh na h-Alba a ghleusadh. Bha na naoi farpaisean lìg air am buinig an sreath a chèile, a bharrachd air a h-uile càil eile.

Nuair a dh'fhàg Stein Celtic ann an 1978, b' e McNèill a ghabh àite air an stiùir, agus bha e cuideachd na mhanaidsear air Obar-Dheathain, Aston Villa agus Manchester City, agus cha do shoirbhich ro mhath leis an Sasainn. Bha e na mhanaidsear air Celtic dà thuras, a' tilleadh ann an ceann sreath an dèidh a dhol a-mach air a' Bhòrd a bha air a chùl an toiseach. Nuair a thill e an 1987 bhuinig e an lìg sa bhad agus Cupa na h-Alba san aon bhliadhna anns an do chomharraich Celtic a' cheud bhliadhna aca mar sgioba.

Ann an 1991, an dèidh dà bhliadhna anns nach deach aige air mòran a dhèanamh leis an sgioba, chaidh a bhròg a thoirt dha, agus on uair sin tha e air a bhith ag obair sna meadhanan ag aithris air ball-coise, ged a b' fheudar dha gabhail air a shocair aig aon àm an dèidh grèim-cridhe. Mar mhanaidsear, ghlèidh e an lìg ceithir tursan uile gu lèir agus Cupa na h-Alba trì tursan. Bidh ainm air a ghleidheadh am measg sàr-chluicheadairean na h-Alba airson na rinn e fhèin is na Leòmhainn ann an Lisbon an 1967, ach cuideachd mar dhuine a bha dìreach, onarach agus na dheagh theachdaire an dà chuid do Celtic is do dh'Alba, agus na ghiùlan air a' phàirc far an robh e na shamhla do chluicheadairean air feadh an t-saoghail, sean is òg.

Shankly, *Bill* (1913-1981)

A bharrachd air Sir Alex Ferguson, agus Jock Stein 's dòcha, cha robh aon mhanaidsear ball-coise aig an robh uimhir de ghrèim air a' mhòr-shluagh 's a bh' aig Bill Shankly. 'S dòcha gu robh gu leòr eile a bha ainmeil nan dòighean fhèin, leithid Sir Alf Ramsey, agus a rinn gnìomhan mòra, ach cha robh cus dhiubh a thigeadh faisg air Shankly nuair a thigeadh e gu meas is spèis nan daoine a nochdadh gu gèam ball-coise nuair a bhiodh gort is èiginn a' ciallachadh nach robh 's dòcha sgillinn ruadh nam pòcaidean airson rudan mòran na bu chudthromaiche.

Ach dè bha na bu chudthromaiche na ball-coise - mar a chluinneas sinn iomadach uair mun bheachd a nochd Shankly mun ghèam: 'Much more important than life and death'.

Rugadh Shankly an Gleann Buic, an Siorrachd Air, agus bha barrachd aig sin ri dhèanamh ris na rud sam bith eile a thachair na bheatha, no aig càil a thachair air raon-cluiche ball-coise. Sin ged bha ball-coise agus poileataigs sòisealach co-ionnan an sùilean dhaoine san sgìre mhèinnearachd sin.

Ann an 1932, chaidh e chluich gu proifeiseanta le Carlisle United agus taobh a-staigh bliadhna, thog e air adhart (mar a bh' ann an uair sin) gu Deepdale, dachaigh Preston North End. 'S dòcha nach b' e an cluicheadair a b' fheàrr no bu sgileil riamh a chuir cas am bròig às leth Aba, ach chluich e seachd tursan anns an lèine ghuirm, agus chaill e mòran ùine air an raon-chluich ri linn a' Chogaidh.

Nuair a dhùisg an saoghal a-rithist an dèidh nan tachartasan sgriosail sin, ann an sèasan 1946-47, bha Shankly 33 agus a' tighinn gu deireadh a là mar chluicheadair. 'S ann an uair sin a chuir e roimhe fhèin a bhith na shàr mhanaidsear, os cionn chàich.

Chaidh Shankly na mhanaidsear air Liverpool anns an Dùbhlachd 1959. Bha e air a bhith os cionn Carlisle, Grimsby agus Workington, mus deach e gu Huddersfield. 'S beag a bha dh'fhios aig duine aca cò, no dè bh' aca. An dèidh ceithir bliadhna dh'fhàg e Huddersfield. Fear dhe na cluicheadairean a bh' aige an sin? Fear dham b' ainm Denis Law a cheannaich e aig aois 16.

Bha Liverpool air a bhith 12 bliadhna gun càil a bhuinig. Bha iad anns an dàrna lìg aig an àm, le Huddersfield fiù os an cionn. Agus nam biodh Liverpool air an cothrom a ghabhail ann an 1951 nuair a dh'fheuch Shankly thuca an toiseach, 's dòcha nach robh sin air a bhith mar sin.

Nuair ghabh e an stiùir, thuirt e ris an luchd-obrach nach robh ach aon nì a dhìth air - dìlseachd. Bha e na b' fhasa dha sin fhaighinn na airgead airson cluicheadairean ùra. Bha e ochd mìosan deug mus d' fhuair e sgillinn. A' chiad fheadhainn a ghoid e à Alba, Iain St John bho Motherwell agus Ron Yeats bho Dundee United an dèidh sin. Mus robh an sèasan a-mach bha Liverpool anns a' chiad lìg agus air an t-slighe.

Ma bha creideas aig Shankly na thàlantan agus na dhòigh fhèin, 's dòcha gur e an sgil a bu mhotha a bh' aige mar stiùiriche dhaoine gum b' urrainn dha sin a thoirt a chreids' orra fhèin. Chàineadh e Law, Charlton, Best agus càch gum brògan ach an sèideadh e barail a chuid chluicheadairean fhèin. Agus bha an-còmhnaidh deagh charaid aige sa chùirt. Bha Bob Paisley mar aon fhear a bha mar chlach-oisein anns an fhàrdaich ùir; Joe Fagan, agus Reuben Bennett mar dhithis eile a bha ag obair gu dìcheallach air cùl chùisean ach a thàinig am follais rè ùine.

Ann an sèasan 63-64, chaidh aig Shankly air Everton a chur fodha agus thog Liverpool an lìg. Eadar Shankly is na Beatles, cha robh àite air an t-saoghal coltach ri Liverpool. Dh'atharraich Shankly dòigh is stoidhle ball-coise Liverpool gu tur. Dh'atharraich e a cheart cho cinnteach saoghal nan cluicheadairean, gam breugadh, gam brosnachadh agus a' maoidheadh orra gus an tàinig e chun na h-ìre far an dèanadh iad (a' mhòr-chuid aca co-dhiù) na dh'iarradh e gun choimhead. Nuair a ghlèidh Liverpool an lìg ann an 1965-66 cha do chleachd iad anns an t-sèasan air fad ach 14 cluicheadairean, na thomhas air èifeachdachd a dhòighean obrach.

Ach ma bha dàimh aig Shankly ri na cluicheadairean, bha an ceangal eadar e fhèin is an luchd-leantainn na b' àraid buileach. Thàinig iad nan dròbhaichean gu Anfield, a bha na shitig an toiseach, ach na Phàras dhan luchd-leantainn mus robh an ùine aig Shankly faisg air a bhith deiseil. 'S iongantach gu robh aon mhanaidsear riamh cho faisg air an luchd-leantainn, fiù Stein aig Celtic no Ferguson am Manchester. Bha a' bhuidheann agus an sgioba aig Shankly air thoiseach air càil eile agus nuair bha feum air ath-nuadhachadh agus beatha às ùr, rachadh aige air sin a làimhseachadh cuideachd. Nuair dh'fhalbh Hunt, St. John, Yeats agus Lawrence, lorg e Keegan, Heighway, Lloyd, Hughes agus Clemence. Thogadh Cupa UEFA an 1973 agus an lìg a-rithist, cupa an FA ann an 1974, agus an uair sin, gu h-obann, chuir Shankly a chùl ri Liverpool. Bha e 60, agus ag iarraidh na bh' aige dhen t-saoghal a chur seachad còmhla ri bhean, Nessie agus an teaghlach. Bha e mar gun do dh'aithnich e gu robh e air na bh' aige ri dhèanamh a choileanadh.

Thug Ronnie Moran agus Roy Evans, còmhla ris an stiùiriche ùr Bob Paisley, Liverpool na b' àirde a-rithist, a' togail cupa an dèidh cupa, farpais an dèidh farpais, air feadh na Roinn Eòrpa.

Ma dh'fhàg Shankly dìleab aca, dh'fhàg e a cheart uimhir aig an luchd-leantainn agus aig Liverpool fhèin nuair a chaochail e le grèim-cridhe san t-Sultain, 1981. Aig a' chiad ghèam aig Anfield an dèidh a' bhàis, chaidh faireachdainn an luchd-leantainn a mhìneachadh gu soilleir air bratach mòr: 'Shankly Lives Forever'.

Archibald, *Steve* (1957-)

Cha robh Steve Archibald a' cosnadh ach £6.50 gach seachdain na dheugaire nuair a chluich e do Chluaidh, a' chiad sgioba aige, agus b' fheudar dha a bhith ag obair mar mheacanaic airson a chuid thuarastail a thoirt gu ìre far am b' urrainn dha tighinn beò. Nuair bha e a' cluich aig Hibs ged-tà, bha e a' nochdadh gu trèanadh ann an Rolls-Royce, agus feadhainn dhe cho-chluicheadairean ann an Ladas.

Dh'fhàg e Spurs an ceann sreath airson a dhol gu Barcelona an àite Diego Maradona. An dèidh leithid de shaoghal, a' togail 27 urram do dh'Alba anns an dol seachad, nach annasach gur ann air sgioba Ard-Rìgh an ceann a tuath Lannraig a laigh a shùil. O mheadhan 2000 tha Archibald air a bhith gu amhaich an aghaidh luchd-trusaidh nam fiach, a' feuchainn ris an sgioba a cheannach agus a chumail beò. Aig aon ìre chaidh na dorsan a dhùnadh air a chorragan agus deasbad ann mu cò bu chòir a bhith a' pàigheadh fhiachan de £15,000. Tha 'An Radan Geal' mar a bh' aca air fiù mus deach e dhan Spàinn fhathast a' tighinn beò. (Agus phàigh an luchd-taic aig Ard-Rìgh na £15,000 dha). Dh'fhaillich a' chùis air aig a' cheann thall agus chaidh a chur chun na sitig 's an sgioba a chruinnich e a chur às a chèile.

Mar chluicheadair, tha Archibald air a bhith còmhla ri cuid dhe na cluicheadairean as fheàrr air an t-saoghal, a' cluich ann an cuid dhe na raointean as motha a ghabhas an lorg - bho Pittodirie fo stiùir Alex Ferguson gu White Hart Lane an Lunnainn agus lìg Shasainn; Nou Camp anns an Spàinn, agus sgioba Bharcelona a tha am measg na feadhainn as cumhachdaiche san t-saoghal. Sin bho fhear a thòisich aig Bruaichean Chluaidh agus a thill an ceann sreath gu Hibs agus gu Dun Eideann.

A rèir Ferguson, bha Archibald am measg nan cluicheadairean aghaidh a b' fheàrr a bha fo a chùram riamh. Nach neònach a-rèist gur ann an dèidh do dh'Archibald a chasan agus a leabhar-pòcaid a thoirt leis a Lunnainn, a b' fheàrr a chaidh le sgioba Obar-Dheathain. Ach cha do chuir sin cus dragh air Archibald, a tha riamh air a bhith a' creidsinn gur e fhèin fear dhe na cluicheadairean a b' fheàrr riamh a chur cas am bròig. Chaidh e gu Barcelona còmhla ri Terry Venables ann an 1984 agus chaidh lèine phrìseil a thoirt dha. Aireamh a deich a bh' air a bhith a' sracadh mu ghuailnean Mharadonna.

'S beag dragh a rinn sin do dh'Archibald, a thòisich a' frasadh nan tadhal. Thog Barcelona lìg na Spàinn. Cleas iomadach cruinn-leum annasach a rinn

Archibald na bheatha, bha an tionndadh a ghabh e bho Bharcelona gu Methil am Fìobha deich bliadhna air ais 's dòcha annasach buileach. Thug e East Fife dhan chiad roinn dhen lìg, e fhèin a' cluiche nuair a bu mhiann leis. Cleas iomadach stiùiriche eile ged-tà, fhuair e bhròg nuair bu lugha a bha dùil ris. Cha d' fhuaras riamh a-mach leis an fhìrinn carson, ach tha amharas ann gu nochd sin rè ùine. A rèir Archibald fhèin cha robh de mhisneachd aig an sgioba a chumadh suas ri na rùintean aige fhèin.

Bho Fhìobha ged-tà, thog Archibald air gu Benfica am Portugal mar chomhairliche, far an tug e air an sgioba sin Graham Souness fhastadh mar mhanaidsear. Sheas e sia mìosan. Agus an ceann beagan bhliadhnaichean nochd Archibald air ais an Alba, far an robh e fhèin a' cumail a-mach a bha chridhe riamh. Rag agus spìocach na nàdar a rèir a' mhòr-chuid, chaidh aige air grunn Spàinnich a tharraing còmhla gu Ard-Rìgh agus cha robh fada gus an do ghleidhear Cupa CIS agus Ard-Rìgh aig an dearbh àm air bonn a' Chiad Roinn dhen lìg. Deireadh caibideil eile ann an eachdraidh nach eil faisg fhathast air a bhith crìochnaichte, bha cuid a' smaoineachadh. Ach chaidh e fhèin is na Spàinnich a chur chun na sitig is theab Ard-Rìgh a dhol fodha. Chan eil fios aig Archibald fhèin càit an tog e ceann a-rithist.

Sir Alex Ferguson.

Bill Shankly.

Sir Bobby Charlton.

Kenny Dalglish.

Billy Bremner.

George Best.

Billy McNeill.

Gordon Banks.

Ally McCoist.

Paul Gasgoine.

Jock Stein.

Sir Matt Busby.

Sir Stanley Matthews.

John Greig.

Jacklin, *Tony* (1945-)

Rinn Tony Jacklin rud nach do rinn cluicheadair goilf à Breatainn ann an 50 bliadhna nuair a bhuinig e an Open anns na Stàitean Aonaichte ann an 1970. Agus cha do rinn duine eile às an Roinn Eòrpa sin anns na deich bliadhna fichead bhon uair sin. Carson? Tha Nick Faldo agus Colin Montgomerie le chèile air a bhith ann an co-fharpais aig a' chuairt dheireannaich (an 1988 agus 1994) ach dh'fhaillich orra an ceum mòr a ghabhail gus a' chùis a bhuinig.

Chan eil fios aig Jacklin fhèin air freagairt na ceist. 'S dòcha gur e cnag na cùise anns an ùine sin (na 30 bliadhna mu dheireadh) nach robh ann ach grunn chluicheadairean a bha math gu leòr airson a bhuinig sa chiad àite - leithid Ballesteros, Woosnam, Langer agus Jacklin, Faldo is Montgomerie fhèin - fiù aig sin agus ged a bhuinig sia cluicheadairean Eòrpach à còig dùthchannan fa-leth farpais nam Masters thall. Tha sin na thomhas an dà chuid air cho doirbh 's a tha e Open nan Stàitean a bhuinig, agus gnìomh Jacklin ann a bhith ga ghleidheadh an 1970.

Cha robh càil riamh a chòrd na b' fheàrr ri Jacklin thuirt e fhèin, na a' chùis a dhèanamh air cluicheadairean Aimeireagaidh, agus ann am farpais an Ryder Cup gu sònraichte, air an dùthaich agus an luchd-leantainn. Bha Jacklin fhèin cuideachd dhen bheachd gun d' fhuair e barrachd toileachais às na rinn e a' buinig anns na Stàitean na fhuair e à duais Open Bhreatainn, a bhuinig e aig Royal Lytham bliadhna roimhe sin. 'S e bha e a' cumail a-mach nach robh duine air iad fhèin a dhearbhadh gus an dèanadh iad a' chùis air na h-Aimeireaganaich air an starsaich fhèin.

Bha Jacklin cho dèidheil air na Stàitean gu dearbh 's gun do ghluais e a dh'fhuireach ann, a' reic oighreachd a cheannaich e an Alba, rud a chòrd ris an iomadach dòigh ach a dh'fhàg le ionndrainn e, chun na h-ìre 's gun do thòisich an gèam aige a' dol air ais. Chan e a-mhàin gu robh an cianalas air, ach bha cuid dhe na cluicheadairean thall a bha le farmad chun na h-ìre is gun do dh'fheuch iad ri bacadh a chur air cluicheadairean cèin bho fharpaisean.

Dh'fhan Jacklin anns na Stàitean ged-tà, fiù an dèidh dha a bhith na sgiobair air an Roinn Eòrpa anns an Ryder. Nuair rinn e sin, bha àite air a ghleidheadh am measg sàr-chluicheadairean na dùthcha. Ach a-nis, deich bliadhna fichead an dèidh gnìomhan mòra, 's gann gu bheil guth air Jacklin, a tha fhathast a' fuireach ann am Florida, far a bheil e ri cosnadh a' dealbhadh raointean goilf agus a' cluich ann am farpaisean Seniors. Chan eil agus cha robh e cho beartach ri cuid a bha a' cluich, agus bha e fhèin dhen bharail riamh nach do choisinn e uimhir ri cuid, agus gu sònraichte uimhir 's a bha còir aige bhon duais mhòir anns na Stàitean.

Ach mur biodh na rinn Jacklin air dà thaobh a' Chuain, cha robh goilf anns an Roinn Eòrpa air faisg uimhir de dh'adhartas a dhèanamh. Bha Jacklin na shamhla air goilf anns na 1960an agus 1970an. Nuair bha e na sgiobair air Eòrpa anns na 1980an thugadh farpais Ryder gu aire an t-saoghail. Agus nuair a bha aig Jacklin ris a' bhàll a chur dhan toll air an raon mu dheireadh am farpais Ryder 1969 agus e a' cluich an aghaidh Jack Nicklaus, shìn Nicklaus a làmh thuige mar chomharr air an spèis a bh' aige dha, is nach robh e airson is gu rachadh am bàll ach dhan toll. Chrìochnaich an fharpais co-ionnan le sin, ged a bhiodh na Stàitean air buinig nam biodh Jacklin air feuchainn is a dhol seachad air an toll.

Sin ann no às, tha aon rud ann a tha fìor mu dheidhinn Jacklin agus nach urrainn do dhuine thoirt bhuaithe. 'S urrainn dha a ràdh 'Bhuinig mise an Open anns na Stàitean Aonaichte.' Cha robh duine anns an Roinn Eòrpa bho 1920 a b' urrainn sin a ràdh.

Montgomerie, *Colin* (1963-)

Cleas Stephen Hendry ann an saoghal snucair, agus Sir Alex Fearghasdan am ball-coise, chuir Colin Montgomerie saoghal goilf fo chasan. Agus cleas iomadach neach eile a bhuineas do dh'Alba, cha d' fhuair e riamh 's dòcha cliù air an robh e airidh na fhàrdaich fhèin, le casaidean na aghaidh gu robh e greannach, feargach, sanntail, ro-bheachdail is gun tlachd aig amannan. 'S dòcha gur e an fhìrinn ged-tà mur eil thu mar sin, nach tig thu gu sìorraidh am bàrr aig fìor àrd-ìre spòrs sam bith.

Bha grèim a' bhàis aig Montgomerie air clàr luchd-cluich na h-Eòrpa. Seachd bliadhna sreath a chèile aig deireadh na linne bha e air thoiseach air càch ann a bhith a' cosnadh am farpaisean, ach dh'fhàilnich an duais as motha riamh air. Cha do ghlèidh e prìomh fharpaisean nan Stàitean no am Breatainn, an dà Open.

'S e duine mòr treun a th' ann an Montgomerie, ro mhòr aig amannan, agus ged is làidir a bhodhaig, 's eu-coltach sin inntinn a rèir cuid, a tha a' cumail a-mach nach dèan e gu sìorraidh mar rinn leithid Tony Jacklin agus Nick Faldo, agus gun dèan e a' chùis air na h-Aimeirgeanaich anns na Stàitean. Ach rinn an iomadach dòigh agus iad ga chur thuige le mì-mhodh is droch-rùn nuair a bha an Ryder Cup thall. 'S dìreach gun do dh'fhàilnich sin air ann an aon fharpais gu cunbhalach agus gu robh leithid Tiger Woods air tighinn am bàrr, 's dòcha nach gabhadh sin a leasachadh air dhòigh sam bith.

Ann an iomadach dòigh tha Montgomerie na shamhla air an dòigh sa bheil sinn a' dèiligeadh ri luchd-spòrs ann an Alba. Air an cùlaibh gu làidir nuair a tha iad a' buinig, agus gam feannadh agus gan toirt às a chèile ma thèid aon nì ceàrr, no ma nochdas briseadh-dùil, aig àm sam bith. 'The Goon from Troon' agus 'Golf's Gael-force windbag' dìreach dà fhar-ainm a th' air a bhith a' gearradh Montgomerie aig amannan nuair a tha e coltach nach robh de mhisneachd aige a bheireadh gu tiotal Aimeireagaidh no Open Bhreatainn e.

'S e pàirt dhen trioblaid a th' aig Montgomerie an duilgheadas a tha mu choinneimh a h-uile cluicheadair dhe leithid. Chan urrainn dha buinig a h-uile là, agus tha iomadach nì a thèid ceàrr air raon goilf, math is gu bheil neach air cluich, agus deiseil son gach nì, mas fhìor!

Agus cleas gach sàr-chluicheadair an spòrs sam bith, bha deagh làithean aig Montgomerie agus amannan eile far an robh e air a bhith na b' fheàrr fuireach san leabaidh. Ach an dèidh còrr is £10 millean a bhuinig san Roinn Eòrpa, 's dòcha nach eil cus ceàrr air an dòigh-cluiche aige. Cha tàinig neach sam bith eile a tha a' farpais ris anns an Roinn Eòrpa seachad air £7 millean a bhuinig.

Tha Montgomerie cuideachd, mar a tha sàr neach-spòrs sam bith trom, trom air fhèin. Ma thèid càil ceàrr, tha fios aige fhèin air mus bi fios aig duine sam bith eile air. Agus chan e coire Mhontgomerie a bh' ann gu robh leithid Woods mun cuairt agus e a' strì ri farpaisean a bhuinig feadh an t-saoghail.

Ach thar nam bliadhnaichean bhuinig Montgomerie còrr air 30 farpais agus 's e bu mhotha a bha a' cosnadh anns an Roinn Eòrpa seachd bliadhna sreath a chèile. Fhuair e cuideachd an MBE.

Chan eil teagamh nam faigheadh Montgomerie a roghainn gun cuireadh e an £10 millean a bhuinig e an dàrna taobh agus gun taghadh e tè dhe na farpaisean mòra leithid an Open no an USA PGA, no na Masters. Theab is gun do theab e Open Aimeireagaidh a bhuinig an 1992. 'S e call mòr a bhiodh ann mur rachadh aig Montgomerie air sin a dhèanamh mus sguir e chluich. Call mòr a bhiodh ann cuideachd mur faigh e, mar neach a th' air a bhith a' strì air a shon an ìre mhath fad a bheatha, an rud a chuir e roimhe. Agus cuideachd mura faigh e cliù is seasamh air a bheil e airidh na dhùthaich fhèin. Ma tha aon rud a dh'fhaodadh a bhith na fhaochadh do Mhontgomerie 's e sin gu robh gu leòr anns na Stàitean Aonaichte a bha cruaidh air Jack Nicklaus aig amannan ged a rinn esan na rinn e air an raon ghoilf.

Tony Jacklin.

Eddie Campell.

Campbell, *Eddie* (1933-1996)

Aig 4,406 troigh (1,343 metre) 's e Beinn Neibheis a' bheinn as àirde am Breatainn. Ainmeil aig luchd-sreap agus aithrisean sna naidheachdan is daoine gam marbhadh a h-uile bliadhna a' feuchainn chun mhullaich ann an dòighean riaslach, cunnartach.

Ach a bharrachd air an tarraing a th' anns a' bheinn do luchd-sreap, tha tarraing àraidh innte cuideachd do luchd-ruith agus rèis ga ruith thar nam bliadhnaichean gu foirmeil bho 1895, nuair bhiodh aon neach fa-leth a' feuchainn an aghaidh an uaireadair.

Bheir neach air nach eil cabhag agus nach eil ro eòlach, sia uairean a thìde agus còrr a' dol suas is sìos, a' leantainn frith-rathad a tha cas aig amannan agus cugallach an iomadach dòigh. Ach cha toir an duine as luaithe a dh'fheuchas air an rèis chun mhullaich agus air ais, mu dheich mìle uile gu lèir, ach mu 90 mionaid sa chumantas.

Cha robh Eddie Campbell ach 18 nuair a rinn e ainm an toiseach anns an rèis, a' tighinn a-steach anns an dàrna àite ann an 1951. Bha seachd bliadhna o nach deach an rèis a ruith, agus bha e na chomharradh air mar a bha cùisean ag ath-bheothachadh gun do nochd mu dhà mhìle chun chiad rèis ùir bho sheann Phàirc a' bhaile.

Cha robh air thoiseach air Eddie (còig mionaidean air thoiseach) ach Brian Kearney às a' Ghearasdan agus chaidh an dithis aca air adhart gu bhith os cionn chàich airson sia bliadhna. Cha do rinn duine a' chùis air an dithis anns an rèis thar nam bliadhnaichean sin ach P. Moy à Vale of Leven. Ghlèidh Eddie fhèin ann an 1952, 1953 agus 1955. A bharrachd air sin, bha an dithis ainmeil air feadh saoghal ruith nam beann, agus cha robh duine a dhèanadh a' chùis orra. Bha Campbell am measg nan ciad deichnear san rèis a' tilleadh eadar 1951 is 1961. Ruith e an uair sin anns a h-uile rèis bho 1951 gu 1995, agus ràinig e mullach fiù ann an 1980 anns a' bhliadhna chaidh an rèis a stad mus do thòisich e le droch shìde. B' e a' chiad duine a fhuair duais shònraichte a bha ga bhuileachadh air daoine a bh' air 21 rèis a ruith. Agus bha e air 27 fheuchainn aig an àm!

Agus 's ann anns na 1950an a chruthaich Eddie Campbell earrann mhòr dhen bhunait a thug ainm is cliù do luchd-ruith is luchd-spòrs ann an Lochabar - na buidhnean agus na goireasan. A bharrachd air a bhith a' ruith e fhèin - agus bha e a' ruith gun sgur, bho mhoch gu dubh - stèidhich e buidhnean-ruith Lochabair a thug cothroman do dhaoine a bhith a' siubhal air feadh na dùthcha a' frithealadh fharpaisean agus a' toirt a' chothroim do dh'òigridh is eile a bhith a' ruith an aghaidh lùth-chleasaichean a b' fheàrr a bh' ann.

Agus b' ann anns an deichead seo a dh'èirich Rèis Bheinn Neibheis gu bhith na prìomh thachartas spòrs a tha fhathast a' tarraing suas gu 500 neach gach bliadhna, agus iad a' feuchainn an aghaidh a chèile, an aghaidh a' ghleoc agus an aghaidh na beinne.

Dheasaich Eddie Campbell fhèin leabhran beag air an deichead sin a tha a' mìneachadh mar a dh'fhàs an rèis bho fharpais anns nach robh ach beagan is fichead neach an 1951 chun fharpais eadar-nàiseanta a th' innte a-nis agus daoine dol suas is sìos leth-uair nas sgiobalta na bhathas anns na 1950an. ('S e 1.25.34 an uair as luaithe anns an deach a dhèanamh le fireannach, Kenneth Stewart à Keswick an 1984, agus anns an aon bhliadhna stèidhich Pauline Haworth 1.43.25 an uair as luaithe do bhoireannaich).

Bha cliù is urram aig Eddie Campbell am measg a cho-fharpaisich nach gabhadh tomhas, airson na rinn e dha Rèis na Beinne fhèin, agus do fharpaisean eile feadh na dùthcha. Bha e na charaid do dhaoine feadh an t-saoghail, agus a dhachaigh fosgailte do dhaoine bho na ceithir àirdean. Agus bha a' bhuil air nuair a chaochail e, is daoine a' siubhal chun adhlacaidh bho air feadh Bhreatainn. Stèidhich Campbell còig farpaiseasn ruith an Lochabar uile gu lèir agus bha e cuideachd na rèitire air geamannan camanachd aig a h-uile ìre. Chaidh rèis 1997 ainmeachadh air mar chuimh-neachan agus leabhran fhoillseachadh mu dheidhinn on uair sin.

Chaidh na rinn e dha spòrs feadh na Gaidhealtachd ach gu sònraichte an Lochabar a chomharrachadh le duais ann an 1994. Thuirt Iain Mac a' Ghobhainn bho Chomhairle Spòrs na h-Alba agus e ga toirt seachad às leth na buidhne ionadail, gu robh Campbell air a bhith 'na shàr-theachdaire dha spòrs' anns an sgìre. Chan eil duine a rachadh as àicheadh sin agus tha àite air leth aig Eddie Campbell an eachdraidh spòrs na sgìre agus gu dearbh an eachdraidh Bheinn Neibheis.

Carson, *Willie* (1942-)

Thòisich Willie Carson mar mharcaiche ann an 1958, agus chaidh ceithir bliadhna seachad mus do bhuinig e a chiad rèis, aig Catterick Bridge. Agus bha deich bliadhna eile ann mus do ràinig e àrd-ìre spòrs nuair a bhuinig e tè dhe na prìomh rèisean eich, *Classic*, agus b' e sin an 2000 Guineas le High Top. Mus do sguir e dhe na rèisean, bha e air 17 Classic a bhuinig agus fhortan a dhèanamh mar shàr mharcaiche.

Cho luath 's a bhuinig Carson a' chiad Chlassic, cha robh caomhnadh air, agus mhair e aig àrd-ìre ann an spòrs nan Rìgh airson deich bliadhna fichead. Bha e cho righinn ri duine a shuidh air muin eich riamh, agus na dheagh charaid dhaibhsan a bha deònach an seice a chur air, agus geall a chur air gach each a bha fo chùram.

Bha Carson, a bhuineas do Shruighlea, ainmeil mar mharcaiche air a' chòmhnard aig an neach-trèanaidh, Dick Hern, agus còmhla bha iad cho làidir ri buidheann sam bith a chaidh an sàs ann an rèisean fad bhliadhnaichean. Chuir iad a-mach cuid dhe na h-eich a b' fheàrr a ruith san dùthaich an dèidh a' Chogaidh - mar eisimpleir, Troy, leis an do bhuinig iad an 200mh Derby ann an 1979 agus Nashwan, a bhuinig an Derby ann an 1989.

Mar fhear a bha beag na bhodhaig, bha Carson treun na spiorad, righinn na dhòigh agus earbsach os cionn chàich. Dh'fhuiling e gu mòr ri linn a chuid cosnaidh, ga ghoirteachadh fhèin iomadach uair ann an trioblaidean aig rèis. Agus 's e sin a thug air sguir aig na rèisean air a' cheann thall, nuair a thug each breab dha aig Newbury ann an 1996.

Bha faisg air 40 bliadhna aig Carson san diollaid le sin, agus bha e na phàirt mòr de eachdraidh rèisean nan each fad nam bliadhnaichean sin. Bha meas mòr aig a' mhòr-shluagh air, agus aig an teaghlach rìoghail aig a bheil ùidh mhòr anns an spòrs. Cha do chuir Carson a chùl ri na h-eich ged-tà an dèidh dha a dhreuchd a leigeil dheth. A bharrachd air a bhith an sàs ann an reic is ceannach each, tha e a-nis am measg na feadhainn as fheàrr a tha a' nochdadh air telebhisean a' toirt cunntas air rèisean, agus na dhuine eirmseach, agus foghlamaichte mu dhreuchd. Beachdail dhe fhèin, tha gu leòr a tha e ag ràdh nach eil a' còrdadh ri daoine, ach cha robh e riamh deònach càil a chleith.

Piggot, *Lester* (1935-)

Tha iomadach neach-spòrs airidh air cliù thaobh is na rinn iad air a' phàirc no anns an rèis no a' sabaid ri càch a chèile. Tha cuid a tha a' glacadh aire nam meadhanan san là th' ann ged tha na tha iad a' dèanamh air falbh bho shaoghal an spòrs fhèin - Paul Gascoigne agus George Best mar dhithis a tha nan deagh eisimpleir. Ach tha Lester Piggot a' tighinn a-steach dhan earrainn seo de shaoghal spòrs agus e air mì-chliù a chosnadh dha fhèin ann an dòigh a bha àraid buileach do neach-spòrs.

Chan eil teagamh nach eil Piggot airidh air gach cliù a chaidh a bhuileachadh air tro spòrs, airson a' chuid sgil air eich. 'S iongantach gu robh a leithid ann no gu dearbh gum bi a leithid ann a-rithist. Cha leig sin leas a bhith na iongnadh cuideachd agus e càirdeach do dhithis a bha fìor ainmeil a thaobh marcachd each anns an naoidheamh linn deug - John Barham Day agus Tom Cannon. Chan e sin a-mhàin ach bhuinig a sheanair, Ernest Piggot, an Grand National ann an 1919, agus bha athair, Keith, aig an robh Lester òg ag obair uaireigin, a' trèanadh each agus bha e fhèin ri rèisean.

'S e 'the Long Fellow' gu h-annasach a bh' air an fhear bheag mheanbh, Lester Piggot, air an do chur mòran eòlas tro rèisichean each, agus air an do chuir gu leòr dhen mhòr-shluagh 's dòcha fada cus dhen cuid airgid thar nam bliadhnaichean. Thòisich e ri rèisean aig aois 12, agus nuair nach robh e ach 18, bhuinig e an Derby ann an 1954. Fad dusan bliadhna an dèidh sin bha e ag obair gu dlùth còmhla ris an t-sàr thrèanair, Noel Murless, agus le chuid each-san, bhuinig e an 2,000 Guineas, an Derby agus an Oaks, uile ann an 1957.

B' e Piggot an sàr-mharcaiche airson aona bliadhn' deug, a' tòiseachadh leis a' chiad tiotal ann an 1960. Agus ro 1967 bha e air naoi dhe na prìomh rèisean - na 'Classics' a bhuinig. Chaidh e fhèin is Murless a-mach air a chèile agus on àm sin bha e ag obair air a cheann fhèin, a' taghadh cuin is cò dha a bhiodh e ag obair, agus aig dè a' phrìs.

Fad a shaoghail ann an rèisean cha robh connspaid is buaireadh fada air falbh. Bha e air fhàgail air gu robh e greannach na nàdar agus nach robh càil air aire ach e fhèin adhartachadh os cionn agus air thoiseach air càch. Cha robh sin annasach am measg luchd-spòrs, agus gu h-àraidh aig àrd-ìre. Ach bha daor-cheannach aig Piggot air a dhòigh-beatha agus a ghiùlain air a' cheann thall. Fiù ann an 1954 chaidh cead a thoirt bhuaithe bhith dol ann an rèisean agus dragh ann mun dòigh anns an robh e a' stiùireadh nan each agus a' feuchainn seachad air marcaichean eile.

Ach b' ann an 1987-88 a fhuair e a' bhuille bu chruaidhe nuair a chaidh a chur dhan phrìosan airson a bhith a' seachnadh cìsean-cosnaidh. Thill e gu rèisean ged-tà an dèidh sin, agus bha a' mhòr-shluagh air a thaobh nuair a bhuinig e na 2,000 Guineas a-rithist ann an 1992.

B' e sin an 30mh prìomh rèis a bhuinig e, a-mach à faisg air 4,500 a bhuinig e uile gu lèir, 400 dhiubh sin thall thairis. Dh'fhàg sin fhèin e air thoiseach air càch ach 's ann ris an Derby a thèid ainm a cheangal san fhad-ùine, agus daoine cuimhneachadh mar ghlèidh e air leithid Nijinsky.

Coulthard, *David* (1971-)

'S e Daibhidh Coulthard an dràibhear chàraichean as fheàrr nach do bhuinig farpais an t-saoghail ann am Formula One - fhathast. Agus chan eil duine a tha a' creidsinn sin uimhir ris fhèin.

Do neach a tha tighinn beò ann an spòrs a th' air leth cunnartach, agus far a bheil e àraid ma thèid bliadhna seachad gun aon droch thubaist le bàs na chois, tha Coulthard ann an suidheachadh annasach fiù an sin fhèin. Thàir e beò à tubaist adhair, agus tha e air tighinn à grunn thubaistean na shaoghal am broinn chàraichean rèis. Fiù air a' bhliadhna far an deach a chaomhnadh anns a' phlèana, chaidh e far an rathaid aig 150 mìle san uair gun a ghoirteachadh.

Beagan làithean an dèidh dha tàirsinn beò à tubaist adhair anns an Fhraing far an do chaochail dithis ann am plèana beag anns an robh e a' siubhal, bha Coulthard anns an dàrna àite anns an rèis san Spàinn. Bha trì dhe na h-asnaichean aige briste agus a bhroilleach air a dhroch mhilleadh, ach chaidh aige air an rèis a chrìochnachadh.

Bha na thachair dha an sin anns na grunn sheachdainean air cur às do mhòran, ach nan tomhas air an duine fhèin agus an seòrsa saoghal anns a bheil e beò. Cunnart air a h-uile taobh, ach 's e suidheachadh a tha sin air a bheil Coulthard air a bhith glè eòlach on bha e glè òg, a' tòiseachadh le rèisean cairt aig 100cc, nuair nach robh e ach aon bhliadhn' deug a dh'aois.

Cha robh anns an tubaist adhair ach samhla air beatha a th' air a bhith riaslach agus soirbheachail aig an aon àm. Tha Coulthard, a bhuineas do bhaile Twynholm an iar-dheas na h-Alba, air a bhith a' coinneachadh ri gach mì-fhortan gu dìcheallach. Aig amannan, tha a chuid fhortan fhèin air a bhith leis.

Nuair a thòisich Coulthard ann an Formula One, bha sgioba Williams ann an èiginn an dèidh do Ayrton Senna a chall ann an rèis San Marino. Shoirbhich glè mhath le Coulthard ged-tà ann an suidheachadh a bha air leth doirbh agus thog e 14 puing anns na h-ochd rèisean aige, aon turas a' tighinn anns an dàrna àite an dèidh Damon Hill.

An ath bhliadhna an dèidh sin, bhuinig e airson a' chiad uair, ann an Estoril am Portugal, agus on uair sin tha e air sia eile a bhuinig a-mach à 94 rèis uile gu lèir. Ghluais e gu McLaren ann an 1996 agus on fhuair e deagh chàr an sin, tha e air dearbhadh gu bheil an comas aige a bhith na shàr dhràibhear nam faigheadh e cothrom na Fèinne. Bha a h-uile coltas ann an

1997 gu robh e air a shlighe gus sin a dhèanamh nuair a bhuinig e am Melbourne agus Monza, ach nochd trioblaidean eile leis a' chàr agus 's ann an sgàthan Mhika Hakkinen a bha e on uair sin.

Chaidh sin a dhearbhadh gu soilleir ann an Astràilia an 1998 nuair a bha Coulthard air thoiseach agus b' fheudar dha Hakkinen a leigeil seachad airson an rèis sin a bhuinig. Thar an dà bhliadhna on uair sin tha e air a bhith gu math follaiseach gu bheil càr nas fheàrr air a bhith aig Hakkinen agus barrachd taic bhon bhuidhinn fhèin, ged a rachadh iad fhèin às àicheadh sin.

Bha a h-uile coltas ann gu robh a' bhliadhna 2000 gu bhith air leth cudthromach do Choulthard. Bha ann an iomadach dòigh. Bhuinig e am Breatainn an dèidh a chur às an rèis am Brazil airson riaghailtean a bhriseadh le crìochnachadh anns an dàrna àite. An uair sin bha an tubaist adhair ann. An dèidh sin, 's beag an t-iongnadh gun do dh'aidich e fhèin gu robh a shaoghal air atharrachadh, ged a bha e ag ràdh nach biodh a' chòrr de 'Mr Nice Guy' ann fada ron sin. Thig an là, agus tha e airidh air a' phrìomh dhuais a th' air a bhith ga tharraing fad a bheatha. Agus bidh Coulthard a cheart cho airidh air àite ghabhail am measg sàr dhràibhearan an t-saoghail, agus a cho-Albannaich, Stewart is Clark.

Hill, *Graham* (1929-1975)

Tha Graham Hill am measg nan deichnear as fheàrr riamh a chaidh air cùl cuibhlichean chàraichean rèis. Agus rinn e sin ged nach do dh'fheuch e ann an suidheachadh farpais gus an robh e 24 bliadhna. Ron sin bha e a' càradh chàraichean agus ag obair orra, gus an d' fhuair e cothrom còmhla ri buidheann Lotus. Bha a' chiad chàr a bh' aige gu math eadar-dhealaichte bhon fheadhainn leis an robh e a' falbh aig astar an dèidh sin - Austin 29 a cheannaich e airson 70 dolair. Ach 's ann air a ghleus Hill na sgilean a thug gu àrd-ìre san spòrs e.

Bha Hill còig bliadhna ag obair còmhla ri companaidh ionnsramaidean Smiths bho aois 16. Chaidh e an uair sin dhan Nèibhidh airson dà bhliadhna agus thill e a dh'obair còmhla ri Smiths. Aon là thog sanas ann an iris aire - sanas a bha a' tairgsinn a' chothroim feuchainn ann an rèis chàraichean aig sgoil rèise, aig raon Brands Hatch, airson còig tasdain gach cuairt. Dh'fheuch Hill ceithir cuairtean agus chaidh 'iompachadh', mar a thuirt e an dèidh làimhe. Thairg e fhèin cuideachadh a thoirt dhan bhuidhinn a bh' air na cothroman a thoirt do dhaoine a bhith a' dràibheadh - Universal Motor Racing Club. Bha Hill deònach càraichean a chàradh nam faigheadh e cothrom a bhith a' dràibheadh.

Ghabh an Club gu mì-fhortanach brath air Hill agus cha d' fhuair e an cothrom riamh. Nochd na cothroman ann an dòigh eile an ceann sreath ged-tà, agus aon là, nuair a bha e a' siubhal air ais a Lunnainn còmhla ri farpaiseach eile, thàinig an cothrom ris an robh e a' feitheamh. 'S e Colin Chapman an duine sin, agus cha robh e fada gus an robh Hill ag obair dha a' càradh chàraichean airson not san là. Dh'fhaillich air Hill ged-tà toirt air a leigeil a dhràibheadh agus dh'fhàg e Lotus airson greis. Dh'atharraich Chapman gu fortanach a bheachd agus thug e cothrom dha Hill agus ann an 1958 nochd e sa chiad rèis aige ann am Formula 1.

Cha robh càraichean Lotus ro earbsach aig an àm. Bha iad tric a' briseadh agus bha Clark an-fhoiseil. Dh'fhàg e Lotus an uair sin ann an 1960 agus chaidh e gu BRM. An ceann dà bhliadhna, bha e air a' chiad rèis aige a bhuinig, ann an Zandvoort san Olaind, agus a' bliadhna sin b' e sàr dhràibhear an t-saoghail. Bha e fhèin is Jim Clark air 7 a-mach à 9 rèisean a bhuinig eatarra.

Cha do shoirbhich leis ro mhath an dèidh sin còmhla ri BRM ged-tà, air sgàth thrioblaidean le na càraichean. Thill e an uair sin gu Lotus ann an 1967 còmhla ri Jim Clark a bh' air a bhith na shàr dhràibhear dà thuras, ged a bha Hill fhèin air rèis Indianapolis 500 a bhuinig an 1966. Nuair a chaochail Clark ann an Hockenheim, ghlèidh Hill an dà rèis an dèidh sin agus b' e an sàr dhràibhear a-rithist ann an 1968. A' bhliadhna an dèidh sin ghlèidh e ann am Monaco airson a' chòigeamh turais; cha do rinn duine cho math ri sin gus an do ghlèidh Ayrton Senna airson an t-siathamh uair ann an 1993.

Dh'fhuiling Hill gu mòr ri linn droch thubaist aig Watkins Glen anns an do bhris e a dhà chois agus bha e ann an cathair-cuibhle airson ùine. Cha do thill e gu àrd-ìre an dèidh sin, agus thòisich e a chompanaidh fhèin airson a bhith a' stiùireadh chàraichean-rèis.

Chaochail Graham Hill ann an 1975, gu h-annasach 's dòcha, ann an tubaist adhair seach tubaist air na rathaidean far an do choinnich e ri iomadach cunnart. Cha deach ainm à sealladh ged-tà ann an saoghal rèisean chàraichean agus on uair sin tha a mhac Damon air a bhith na shàr dhràibhear.

David Coulthard.

Sir Jackie Stewart.

Stewart, *Sir Jackie* (1939-)

Nuair a bhuinig Jackie Stewart farpais an t-saoghail mu dheireadh, tharraing e a-mach às an rèis mu dheireadh dhen t-sèasan nuair a chaidh a charaid Francois Cevert, a bh' anns an aon bhuidhinn ris, a mharbhadh a' deisealachadh airson rèis anns na Stàitean Aonaichte. Chuir Stewart a chùl ri rèisean bho thaobh a-staigh chàraichean an uair sin.

B' e seo an treas uair a bha Stewart air a bhith os cionn chàich anns an fharpais bhliadhnail - an 1969, 1971 agus 1973, agus bha e air 27 rèis a bhuinig uile gu lèir, an dèidh dha feuchainn ann an 99 reis. Nuair a bhuinig e anns an Olaind anns a' bhliadhna mu dheireadh aige, b' e sin àireamh 25, a' cheart uimhir 's a bhuinig Jim Clark.

Sheas na rinn Stewart mar thomhas a b' fheàrr a bh' aig neach-rèis gu 1987, nuair a chaidh Alain Prost seachad air, ach bha esan air a bhith an 118 rèis, seach 99 aig Stewart.

Chomharraich Stewart e fhèin mar shàr dhràibhear on chiad bhliadhna a dh'fheuch e anns an fharpais. Bhuinig e anns an Eadailt, a' dràibheadh dha BRM agus bha e anns an treas àite thar na bliadhna, an dèidh Jim Clark agus Graham Hill. Bha e roimhe sin air a bhith mar aon a thòisich a' dràibheadh leis an t-seann bhuidhinn, Ecurie Ecosse.

'S ann an 1968, nuair a chaidh e còmhla ri buidheann Tyrell a nochd e cho fìor mhath is a bha e gu bhith. On uair sin, bha e na phrìomh dhràibhear thar na bliadhna no anns an dàrna àite ann an còig a-mach à sia bliadhna. Agus an uair sin ann an 1969 agus 1971, cha chumadh duine suas ris agus ghlèidh e sia a-mach à aon rèis deug gach bliadhna.

Anns an dàrna bliadhna air cùl na cuibhle ann am farpaisean Formula One, bhris Stewart gualainn agus tè dhe na h-asnaichean aige. On uair sin bha sàbhailteachd an luchd-rèis na phrìomh amas aige.

Leig e dheth dràibheadh ann an 1973 agus chaidh e air adhart gu bhith na fhear-gnothaich an iomadach raon le beartas is cliù (agus dachaighean) air feadh an t-saoghail. Chaidh a bheartas a thomhas aon bhliadhna aig 30 millean. Sin aig fear nach b' urrainn sgrìobhadh gu cothromach son ùine na bheatha, gus an deach lorg fhaighinn gur e trioblaid a bh' aige a tha toirt buaidh air mòran, dyslexia. Riamh on chaidh sin a dhearbhadh, tha Stewart air a bhith na thaic is na shamhla do dhaoine a tha a' fulang leis an dearbh thrioblaid. Chaidh an OBE a bhuileachadh air leis a' Bhànrigh ann an 1972 agus fhuair e urram onarach bho Oilthigh Shruighlea a bhith na Ollamh

Thionnsgalachd. Cha robh sin ach aon duais a thàinig thuige bho ghrunn oilthighean gu h-eadar-nàiseanta. An lùib spòrs rèis, fhuair e iomadach duais is urram bho luchd-leantainn, sgrìobhaichean is buidhnean eile air feadh an t-saoghail.

A bharrachd air na càraichean, 's ann air sealg a bu mhotha a chuir Stewart seachad ùine agus bha e an sgiobaidhean Bhreatainn agus Alba airson sealg chalman crèadh. B' e a b' fheàrr am Breatainn cuideachd airson an sealg is iad beò. Agus cha mhòr nach d' fhuair e gu bhith na bhall de sgioba Bhreatainn leis a' ghunna aig na h-Oilimpigs ann an 1960. Tha e cuideachd ainmeil airson ùidh ann an goilf agus na bhall de ghrunn dhe na buidhnean as spaideile anns an dùthaich, agus na dheagh charaid do ghrunn anns an teaghlach rìoghail.

Stèidhich Stewart agus a mhac companaidh rèis dhaib' fhèin fon ainm Stewart Grand Prix Ltd ann am Milton Keynes ann an 1996, ach chaidh sin a reic ri buidheann Ford airson timcheall air £100 millean rè ùine. Bha buaidh mhòr aig dìth slàinte a mhic, Pòl, air Stewart fhèin agus Pòl air a bhith a' strì ri aillse o chionn grunn bhliadhnaichean.

Bha Stewart e fhèin riamh airson Jim Clark a chur os cionn chàich còmhla ri leithid Fangio agus Stirling Moss, ach nuair thig e gu bhith tomhas eachdraidh rèisean chàraichean, bidh Stewart fhèin aig àirde, nam measg.

'S iongantach mura bi urraman gu leòr eile a' tighinn air Stewart fad a bheatha airson na rinn e, ach ann an liost ceann-là na Bànrigh as t-samhradh 2001 chaidh urram ridire a bhuileachadh air. Beagan làithean an dèidh sin chaidh urram onarach ollaimh a thoirt dha ann an oilthigh Shruighlea far an robh e air a bhith na Ard Ollamh Thionnsgalachd.

Clark, *Jim* (1937-1968)

Nuair a thig e gu cliù luchd-rèis chàraichean an t-saoghail, gun tighinn air muinntir Bhreatainn a thomhas, bidh ainm Jim Clark à Alba àrd am measg gach ainm as cliùitiche. Rugadh e ann an Cill Mhadaidh an Siorrachd Fhìobha, agus cha do leig e sin às a chuimhne a riamh. Mar aon ghille ann an teaghlach le ceathrar pheathraichean, cha robh athair 's a mhàthair riamh airson e bhith a' dol air cùl cuibhle aig astar. Bha e ri rèisean ionadail agus mu dheireadh chaidh e còmhla ri buidheann air an robh na Border Reivers, fo stiùireadh Jock McBain. Ann an tè dhe na rèisean sin, a' dràibheadh Lotus Elite, bha e an aghaidh Colin Chapman, agus bha uimhir de bhuaidh aige air Chapman 's gun do gheall esan sùil a chumail air.

Ann an 1959 bha na Reivers airson càr Lotus Formula 2 a cheannach, ach cha robh Clark fhèin cinnteach an robh iad sàbhailte gu leòr. 'S iad Aston Martin a thug dha a' chiad chothrom mòr ann an saoghal rèisean ged-tà, ach bha e aig an aon àm a' suirghe air Formula 2 agus cùmhnant aige le Chapman agus Lotus. Nuair chaidh an càr aig Aston an comhair a chùil, fhuair Clark an cothrom a bha a dhìth air ann am Formula One còmhla ri Lotus, a' dràibheadh dhaibh airson a' chiad uair san rèis anns an Olaind ann an 1960, an àite John Surtees a bha fhathast ri rèisean bhaidhsagal.

Cha tug Clark fada gus an do chuir e stampa fhèin air rèisean. 'S e an duine a b' òige riamh a bha na phrìomh dhràibhear am farpais Formula One, aig aois 27, le Lotus 25, càr a bha ùr nodha aig an àm. Ann an 1963, bhuinig e seachd às na deich Grand Prix.

Dà bhliadhna an dèidh sin, 's e Clark a' chiad dhràibhear bhon Roinn Eòrpa a bhuinig an rèis Aimeireaganach an Indy 500, a' togail $500,000 aig an àm. Bha e fhèin is Colin Chapman air a bhith a' feuchainn ri bhuinig airson dà bhliadhna agus chaidh aca air Lotus sònraichte a dhealbh a dh'aona ghnothaich. San aon bhliadhna, ghlèidh Clark Formula One a-rithist, a' buinig sia rèisean a-mach às na deich. Bha Graham Hill anns an dàrna àite a' bhliadhna sin, agus anns an treas àite, Jackie Stewart, a bhiodh às dèidh Chlark mar shàr dhràibhear à Alba.

Chaochail Jim Clark ann an 1968, air 7 Giblean aig Hockenheim anns a' Ghearmailt ann an Rèis Formula 2. Cha robh còir aige a bhith ann. 'S ann a bha còir aige a bhith aig Brands Hatch, ach dh'iarr Chapman, ceannard Lotus, air a dhol gu Hockenheim. Cha robh Clark air dràibheadh ann roimhe agus taobh a-staigh sia cuairtean dhen rèis bha a' bhuil air. Aig 170 mìle san uair, air earrann dhen rathad nach robh idir cunnartach, chaill Clark smachd air a' chàr agus chaidh iad le chèile nan smàl am measg chraobhan aig oir an rathaid. Cha deach deagh adhbhar a lorg airson na tubaist a-riamh. Cha robh Clark ach 31. Bha e air a bhith ann an 72 Grand Prix. 'S e bu luaithe a' tòiseachadh ann an 33. Ghlèidh e 25, aon a bharrachd air Juan-Manuel Fangio, a bha roimhe sin air a thomhas mar shàr dhràibhear na spòrs. Mur biodh Hockenheim, 's ann aig Sealbh a tha brath dè an eachdraidh a bhiodh againn air Jim Clark, seach mar a bha. 'S e duine socharach a bh' ann. Duine iriosal, ach fear a bha aig àirde am measg sàr dhràibhearan an t-saoghail, a cheart cho airidh air a luaidh ri Nuvolari, Fangio, Senna is an leithid.

Hastings, *Gavin* (1962-)

Bha Gavin Hastings aig cridhe sgioba rugbaidh na h-Alba còmhla ri bhràthair Scott (bha ceathrar ann dhiubh uile gu lèir, ged nach robh buileach ainmeil ach an dithis seo) airson deich bliadhna suas gu deireadh na linne, agus tha e a-nis gu h-annasach air e fhèin a ghluasad a-mach à rugbaidh gu ìre mhòir agus e fhèin a chur, tron obair aige, an teis-meadhan oidhirp a dhèanamh farpais an Ryder Cup a thoirt do dh'Alba.

Aig sia troighean a dh'àirde, le neart dha rèir agus cinnteach às fhèin ge bith dè an suidheachadh, bha Hastings agus an dèanamh a bh' air, deiseil agus freagarrach anns a h-uile dòigh airson ceannas an sgioba a ghabhail - gu dearbh airson a bhith air thoiseach air càch anns gach nì san deach e an sàs. Ged nach e bu luaithe riamh a chaidh air raon rugbaidh, bha lèirsinn agus misneachd aig Hastings a thug air adhart agus air thoiseach air càch e, agus bhon àite aige air cùl nan cluicheadairean meadhan, bha e am measg sàr-chluicheadairean an t-saoghail aig àirde. Fhuair e urram is cliù an Astràilia far an do chluich e airson grunn bhliadhnaichean, aig Cambridge, agus an New Zealand mar eisimpleir, far a bheil tomhas air leth aca air cluicheadairean nach buin dhaib' fhèin.

Thug e iomadach buaidh le sgioba Alba a chur air adhart rugbaidh mar spòrs, ged bha cuid taobh-staigh a' gheama fhathast beò anns na seann làithean. Bha ìomhaigh aig Hastings; bha e briathrach, gleusta agus bha e fhèin agus a bhràthair nan samhla air adhartas agus saoghal ùr an rugbaidh, agus proifeiseantachd a' toirt buille-bàis dhan t-seann riaghladh is dòigh cluich.

A bharrachd air a threunachd, bha Hastings ainmeil airson a bhith cinnteach le a' bhròig cuideachd agus 's iomadh uair a bha sgioba Alba an gàbhadh nuair a chuireadh Hastings seachad air an tadhal am bàlla bho àiteachan feadh na pàirce far nach biodh misneachd aig neach eile coimhead, fiù feuchainn. Anns a' chiad ghèam a chluich e do dh'Alba, chuir e fhèin na 18 puing a fhuair Alba agus iad a' buinig 18-17 an aghaidh na Frainge. Chuir e 667 puing do dh'Alba uile gu lèir, a' clàradh tomhas ùr pearsanta ann an rugbaidh na h-Alba. Agus chluich e còmhla ri bhràthair gu h-annasach air an dearbh là agus iad le chèile air 50 gèam a chluich.

Bha e cuideachd ainmeil airson na rinn e còmhla ri sgioba nan Lions a' siubhal air feadh an t-saoghail, a' cur 66 puing dhaibhsan, am measg gach gnìomh ionmholta a rinn e, gleidheadh an aghaidh Astràilia air taobh thall an t-saoghail an 1989.

Ma bha aon rud ris an tèid ainm Hastings a cheangal 's e an là a rinn Alba a' chùis air Sasainn ann an 1990 nuair a thog an sgioba, fo stiùir Dhaibhidh Sole, an Grand Slam, a' buinig ceithir geamannan agus a' cur Sasainn fom brògan aig Murrayfield. Mura biodh sin fhèin, bha e gu leòr airson àite sònraichte a chruthachadh do Hastings ann an saoghal spòrs na h-Alba.

Sguir e a chluich aig ìre eadar-nàiseanta nuair a chaidh Alba a chur a-mach à farpais na Cruinne ann an 1995, agus e air cluich an trì farpaisean Cruinne. Chanadh gu leòr gur e an cluicheadair dìon agus 's dòcha an sgiobair a b' fheàrr a bh' aig Alba riamh, ach le dithis eile leithid Ken Scotland agus Andy Irvine a' cluich san aon àite, 's e sin deasbad a mhaireas.

MacLeod, *Beth* (1975-)

'S dòcha gum bi e na cheist air 'Question of Sport' uaireigin, ach 's iongnantach gu faigheadh neach sam bith ceart i: 'Cò a' chiad bhoireannach às na h-Eileanan Siar a chluich rugbaidh do dh'Alba?' 'S e a h-ainm Beth MacLeod à Loch nam Madadh agus tha i fhathast a' cluich do dh'Alba ged nach cluinnear is nach leughar cus mu deidhinn. Agus chan eil sin ach na shamhla ionadail dhen dìmeas a tha an dùthaich seo a' dèanamh air spòrs bhoireannach. Dùthaich far nach eil, mar eiseimpleir, companaidhean mòra sa chumantas deònach taic airgid a chumail ri sgiobaidhean bhoireannach agus far nach eil iad ach air iomall saoghal spòrs àbhaisteach.

Cha b' ann am bun-sgoil Loch nam Madadh (far nach robh ach triùir sa chlas aice) no an sgoil Phabail a dh'ionnsaich Beth a cuid rugbaidh ach air tìr-mòr nuair a chaidh i gu a h-àrd-fhoghlam sa Cholaiste, ach bha buaidh mhòr aig an taic a fhuair i bho pàrantan agus aig turais a ghabh iad gu Murrayfield a choimhead Alba, air an t-slighe a chomharraich i dhi fhèin.

Agus tha rugbaidh anns na bliadhnaichean a chaidh air saoghal gu tur ùr fhosgladh do Bheth, a bha ag obair grunn bhliadhnaichean do Roinn Spòrs Chomhairle Shruighlea, far a bheil spòrs air a mheas mar nì air leth cudthromach leis an ùghdarras ionadail. Bha còig duine deug ag obair san roinn ann an dreuchdan a tha a' toirt a' chothroim do leithid Beth an ìre trèanaidh agus cluiche aice fhèin a leasachadh fhad 's a thathar a' cur ri obair spòrs ann an diofar choimhearsnachdan.

Nuair a dh'fhàg Beth an sgoil, chaidh i gu cùrsa Spòrs agus Coimhearsnachd ann an Glaschu a mhair trì bliadhna (tha e nis aig ceithir) agus chaidh i às an sin a dh'obair gu Sruighlea. Thug an cùrsa eòlas dhi ann an leithid coidseadh, slàinte agus trèanadh, agus cuideachd an sgilean rianachd agus stiùiridh. Ach b' ann ri a ceangal ri rugbaidh a bu làidire a dh'fhan i an dèidh a miann a bhrosnachadh anns a' cholaiste. Thòisich i fhèin is caraidean a' togail an ùidh chun na h-ìre far nach robh e fada mus robh an cur-seachad airson fealla-dhà air tighinn gu bhith na spòrs far an robh amasan, feumalachdan agus rùintean ùra a' nochdadh. Thòisich i an toiseach le sgioba West of Scotland a bha am measg nam buidhnean a b' fheàrr agus a bu làidire a bha a' fàs ann an saoghal ùr rugbaidh bhoireannach an Alba. Dh'fhan i an sin airson ceithir bliadhna agus aig deireadh gnothaich bha i air uimhir de dh'adhartas a dhèanamh 's gu robhas a' coimhead rithe le sgioba Alba an 1994, agus bha i a' cluich do dh'Oilthighean na h-Alba an 1993-97.

Beth MacLeod.

Cha b' e ruith ach leum an uair sin tron t-siostam, a' cluich airson dà bhliadhna le sgioba 'A' na h-Alba agus chaidh i dhan phrìomh sgioba an uair sin an 1997, a' cluich an aghaidh sgioba na h-Eireann airson a' chiad uair ann an 1997. On thòisich Beth a' cluich rugbaidh bha i a' cur amasan sònraichte air adhart dhi fhèin - gluasad bho sgioba gu bhith a' cluich aig ìre sgìreil, suas an uair sin gu sgioba 'A' na h-Alba agus bhon sin chun sgioba eadar-nàiseanta. Agus tha sin air Beth a thoirt air feadh na Roinn Eòrpa, san Spàinn an 2000, a' cluich an Nice, am Ballion san Eadailt an Euro 99, agus san Olaind am Farpais an t-Saoghail an 1998, far an do chluich i an aghaidh Astràilia airson a' chòigeamh no an t-siathamh àite, am measg dhùthchannan eile. Agus chaidh farpais na h-Eòrpa, le Beth san sgioba, a ghleidheadh an 2001.

Ach chan ann gun strì. Mar a bha an t-adhartas a' tighinn, 's ann a bu mhotha a bha an t-uallach agus a' chosgais. Agus tha i a-nis a' cluich do Edinburgh Wanderers, an sgioba as fheàrr an Alba. Agus leis an sin tha uallach eile - dà oidhche trèanaidh a bharrachd air gèam gach seachdain, agus a cuid obrach a thuilleadh air sin. Tha an dreuchd a th' aice ged-tà a' toirt cothroman dhi nach biodh aice 's dòcha ag obair do chompanaidh no buidheann eile.

Tha Beth NicLeòid 's dòcha nis aig a h-àrd-ìre an spòrs rugbaidh, a' cluich do dh'Alba, a' cur thadhal an aghaidh na Cuimrigh an 2001, agus a' coimhead air adhart gu farpais an t-Saoghail an Sasainn an 2002. Tha i cuideachd na dreuchd ùir mar chiad oifigear leasachaidh do rugbaidh bhoireannach, ag obair a-mach à Murrayfield. Air a' cheann thall dh'fhaodadh i cluich do dh'Alba suas gu 40 turas ma sheasas a slàinte agus a bodhaig ris. Faighnich dhi dè chuir nighean à Loch nam Madadh air adhart chun na h-ìre seo ann an spòrs a tha an ìre mhath coimheach is gun freumham mòra sam bith air a' Ghaidhealtachd (ged tha e a' fàs nas làidire tro ghnìomhan leithid sgioba Steòrnabhaigh an lìg na Gaidhealtachd) agus 's e am freagairt: 'slàinte, dòigh-beatha, càirdeas agus cothroman.' Agus 's e cothroman a tha sin a tha i fhèin ag ràdh a bu chòir a bhith aig a h-uile neach ann an sgìrean leithid nan Eilean Siar, agus tha i fhèin na teiseatanas air na ghabhas dèanamh le taic phàrantan, misneachd is lèirsinn, fiù far nach eil goireasan no deagh aimsir.

Blyth, *Sir Chay* (1940-)

Chaidh urram Ridire a bhuileachadh air Chay Blyth ann an 1997, an dèidh na bha e air a dhèanamh do sheòladh, agus bha sin an dèidh duais shònraichte fhaighinn bho Chomann Luchd-naidheachd nan Iachtaichean trì bliadhna roimhe sin. Am beachd an sgrìobhaiche spòrs ainmeil Uisdean McIlvanney ann an 1981, cha robh aon mharaiche eile ann an eachdraidh na dùthcha a bh' air uimhir de chliù a bhuinig gun a bhith a' cleachdadh ghunnachan!

'S ann nuair a dh'iomair Blyth null thar a' Chuan Siar gu Tuath còmhla ri caraid ann an geòla anns nach robh ach 20 troigh ann an 1966, a thàinig e gu aire a' mhòr-shluaigh an toiseach. Cha robh cus dhaoine aig an àm dhen bharail gun gabhadh na rinn e a choileanadh. Sa bhliadhna a ghlèidh Sasainn Cupa na Cruinne ann am ball-coise aig Wembley, b' e Blyth a thog an duais airson Fireannach na Bliadhna agus fhuair e urram BEM cuideachd.

Chuir e chùl ri na ràimh an dèidh sin ged-tà agus thionndaidh e chun nan seòl. Bha sin ged nach robh eòlas sam bith aige an uair sin air maraireachd no sgilean iùil mara. An ceann dà bhliadhna, bha e air tighinn chun na h-ìre far an do thog e air airson oidhirp seòladh sa bhàta *British Steel* mun cuairt an t-saoghail leis fhèin. Chan e a-mhàin sin, ach gun stad agus an aghaidh sruth na mara agus neart na gaoithe. 'Aisling do-dhèanta' a bh' aige fhèin air na bha roimhe, ach chaidh aige air a dh'aindeoin gach creach nàdarra a thàinig na aghaidh.

Chaidh na rinn e air an turas sin a thomhas leis an *Times* ann an 1971 'mar thuras a bu shònraichte a rinn aon neach leis fhèin riamh'. Chaidh tuilleadh dhuaisean agus urraman a bhuileachadh air Blyth airson na rinn e - an CBE ann an 1972, Duais Maraiche na Bliadhna agus an Chichester Trophy.

B' ann às an turas a bha sin agus mar a chaidh a mhisneachadh a dhealbh Blyth ann an 1988 an 'Global Challenge' - an rèis mhara a bu duilghe riamh, a thòisich ann an 1992-93 - le 14 bàtaichean-siùil a' farpais cò aca a bu luaithe a rachadh timcheall an t-saoghail an taobh clì, 30,000 mìle uile gu lèir, a-mach à Southampton.

Cattanach, *Dr John* (1885-1915)

'S iomadh raon air an do dhearbh an Dotair John Cattanach e fhèin on rugadh e ann am Bail' Ur an t-Slèibh'. Chaidh Cattanach, a bhuineadh dhan Bhail' Ur far an robh athair na cheannaiche, fhoghlam an sgoil a' Bhail' Uir fhèin agus ann an Ceann a' Ghiùthsaich. Chaidh e an uair sin gu Colaiste George Watson ann an Dun Eideann agus dhan Oilthigh an sin, far an tug e mach ceum MA agus MBChB. As an sin chaidh e a dh'obair a dh'ospadal Bhangour agus a Shasainn mus deach e dhan arm. Agus chaidh a ghearradh sìos gu h-aithghearr anns na Dardanelles ann an 1915 agus e air ìre Lieutenant fhaighinn.

Bha Cattanach na churaidh air leth sa bhaile aige fhèin fada mus deach a mharbhadh anns a' Chogadh ged-tà. 'S ann mar chamanaiche a b' eòlaich daoine air na dhùthaich fhèin, ged a bha sin air aithneachadh air feadh sgìrean na camanachd gu lèir. Agus gu dearbha, fiù taobh a-muigh crìochan a' Bhail' Uir fhèin, tha ainm aige am measg chuid gum b' e an cluicheadair a b' fheàrr riamh a chuir làmh air caman. Carson? Anns a' chiad àite airson a ghleustachd leis a' chaman, a neart, a bhodhaig agus an dòigh-cluiche ùr nodha a chleachd e airson a' char a thoirt à nàimhdean, agus cobhair a dhèanamh air a cho-chluicheadairean am Bàidneach.

Bhiodh e a' trèanadh gun sgur, rud a bha neo-àbhaisteach dhe fhèin, ach ann an dòighean annasach agus adhartach, a' toirt air adhart nan sgilean a bha gu leòr a' meas a bh' ann gu nàdarra. Bhiodh e falbh leis a' bhàlla air ceann a' chamain; a' ruideil timcheall air craobhan is am bàlla ris a' chaman; bha e ri aithris gu ruitheadh e bho mheadhan a' bhaile chun Eilein, pàirc na camanachd anns a' Bhail Ur, agus am bàlla aige air a' chaman, gun leigeil leis tuiteam fad mìle, agus e a' ruith leis.

Air an raon-cluiche fhèin, cha tàinig duine riamh chun na h-ìre a nochd e ann an cuairt dheireannaich Cupa na Camanachd an 1909 an Glaschu. Ghlèidh am Bail' Ur 11-3, agus chuir Cattanach ochd dhe na tadhail sin, gnìomh a dh'fhaillich air duine ach e fhèin chun na h-ìre seo.

Ghràinich mar a thachair ann an 1911 Cattanach dhen chamanachd, nuair a thug co-dhùnadh Comann na Camanachd an Cup a dhiùltadh dhan Bhail Ur, agus laigh a shùil agus a rùn an uair sin air ruith aig astar agus air hocaidh.

Ràinig e sàr-ìre aig an dà chuid an dèidh dha a chùl a chur ris a' chaman, a' riochdachadh Alba anns an dà spòrs. A thaobh spòrs eile, bha e sònraichte math cuideachd air leum-fada agus ruith e 100 slat ann an aon fharpais aig Pàirc Ibrox ann an 9.45 diog.

Gu mì-fhortanach, cha do choilean Cattanach ach earrann dhen t-saoghal a bha roimhe mar dhotair agus mar neach-spòrs. Cha do thill e dhachaigh a-riamh an dèidh a' Chogaidh agus 's ann anns na Dardanelles a tha e fhathast. Bidh ainm agus a chliù rin cluinntinn anns a' Bhail' Ur fad linntean ged-tà.

Chan eil ach triùir à saoghal na Camanachd a th' air cliù is urram a bhuinig dhaib' fhèin chun na h-ìre far a bheil iad air an ainmeachadh ann an iris ùir an *National Dictionary of Biography* aig toiseach linn ùir: Cattanach, Tom Nicolson à Caol Bhòid, agus Archie MacRa Chisholm à Canaich, a' chiad Cheann-feadhna a bh' air Comann na Camanachd. Tha iad uile airidh air sin.

Cowie, *William* (1962-)

Chluich Willie Cowie do sgioba chamanachd an Eilein Sgitheanaich an toiseach aig aois 14. Cha b' e a' chiad duine riamh a rinn sin, ach 's iongantach gu robh uimhir de bhuaidh aig aon neach air sgioba chamanachd an Eilein nan eachdraidh, sgioba a chaidh air adhart gu gnìomhan mòra a dhèanamh agus gu Cupa na Camanachd a thoirt air ais dhan Eilean airson a' chiad turas riamh ann an 1990.

'Mac athar' a chanadh gu leòr ris, agus bha mòran air a shùileachadh bhuaithe seach gu robh athair - Willie cuideachd - cho ainmeil mar chluicheadair anns na 1950an nuair a bha e na bhall de sgioba Lòbhat a choisinn a h-uile cupa a ghabhadh buannachd an 1953, Cupa Ceilteach Ghlaschu nam measg!

Nochd Cowie òg na sgilean aige san sgoil far an d' fhuair e fhoghlam leis a' chaman fo stiùir an tidseir, D R Dòmhnallach, am Portrìgh, agus bha e na bhall de sgioba bun-sgoil Phortrìgh nuair a thog iad Cupa MhicAoidh ann an 1974. Còmhla ris san sgioba sin bha dithis a chaidh air adhart gu bhith nam pàirt de ghnìomhan mòra 1990 agus nam bliadhaichean timcheall air sin, Donnchadh MacDhùghaill agus Caley MacIlleain.

Cha robh e ro fhada gus an do nochd na cluicheadairean òga anns na 1970an gu robh sgil sònraichte aca fa-leth agus mar bhuidheann. Ged bha gu leòr dhe na cluicheadairean a' fàgail an eilein (mar a bha riamh), dh'fhan grunn dhiubh agus suidheachadh eaconomaigeach an àite a' tighinn air adhart. Agus thug sin deagh bhunait dhan bhuidhinn agus chaidh iad air adhart gu Cupa an t-Sutharlanaich a thogail, farpais nàiseanta aig an dàrna ìre, agus deagh chomharradh gu robh gnothaichean a' sìor thighinn air adhart. Nuair a bhuinig iad an Cupa sin an 1979, bha na Sgitheanaich air a bhith às aonais duais nàiseanta airson 29 bliadhna, ach b' e seo toiseach tòiseachaidh an t-saoghail ùir.

Chaidh Cowie air adhart gu trì Buinn a bhuinig am farpais an t-Sutharlanaich a bharrachd air na Buinn gu lèir a thog e san sgoil. Ach cha robh sin ach na bheag-chùis an taca ri mar a thachair an 1990. Bha na Sgitheanaich air leigeil fhaicinn gur iad an aon sgioba airson bliadhnaichean a bha comasach air faighinn seachad air Ceann a' Ghiùthsaich agus le Cowie gan robhaigeadh air a' phàirc agus a bhràthair Ross na mhanaidsear, ràinig iad an dà chuid cuairt dheireannach Cupa MhicThàbhais (airson a' chiad uair bho 1896) agus Cupa na Camanachd an 1990. Chaill iad a' chiad fhear ach rinn iad a' chùis air Bail' Ur an t-Slèibh sa Ghearasdan anns a' chuairt dheireanaich de Chupa na Camanachd. Bha Cowie am measg na feadhainn a fhuair tadhal an là sin, agus cha robh là coltach ris an eachdraidh an eilein. Agus chan e a-mhàin sin, ach b' e a' chiad chluicheadair a chaidh ainmeachadh mar chluicheadair nàiseanta na bliadhna an saoghal na camanachd san dearbh bhliadhna.

Deich bliadhna an dèidh sin ged-tà bha Cowie fhathast na phrìomh chluicheadair anns an Eilean, agus air an là a rinn na Sgitheanaich a' chùis air Loch Carrann am Portrìgh gan cur fhèin suas dhan Phrìomh Lìg airson a' chiad uair, fhuair Cowie na trì tadhail.

Cha mhòr gu bheil urram ann nach do thog Uilleam Cowie ann an saoghal na Camanachd eadar duaisean pearsanta mu thuath agus gu nàiseanta, gus a bhith a' cluich dhan sgioba eadar-nàiseanta. Bha e fiù na bhall dhen bhuidhinn a chaidh a-null a Chanada còmhla ri Ceann a' Ghiùthsaich an 1991 a chluich an sin. Bha e cuideachd math air ball-coise agus mura biodh na chuir e seachad de dh'ùine leis a' chaman, tha a h-uile coltas ann gum biodh e air a bhith na chluicheadair aig ìre gu math nas àirde, a' cluich an lìgichean ionadail an taoibh shiar.

Tha Cowie na shamhla air saoghal ùr na camanachd san Eilean, far a bheil raon-cluiche agus goireasan air leth aig òigridh an eilein. Tha e cuideachd na shamhla air a' phàirt chudthromach a th' aig camanachd ann an sgìrean leithid an Eilein. 'S e iar-ogha dha Billy Ross a bha a' cluich dhan eilean ann an 1895 a th' ann an Willie agus Willie òg eile a-nis ri thighinn às a dhèidh fhèin a-rithist.

William Cowie.

Thomas Rae Nicolson.

Nicolson, *Thomas Rae* (1879-1951)

Chan eil ach aon chluicheadair camanachd, a rèir coltais, a ràinig ìre spòrs nan Oilimpigs, agus b' esan Tom Nicolson à Caol Bhòid - tuathanach, camanaiche, agus lùth-chleasaiche trom *par excellence.* Rugadh Nicolson san Dàmhair 1879 air tuath an teaghlaich an Taigh na Bruaich, mar aon ghille ann an teaghlach de dheichnear bhalach eile agus aon nighean. Bha ochdnar dhe na gillean sin nan camanaichean agus ceathrar a ràinig fìor àrd-ìre ann an lùth-chleasachd.

Bha sianar dhe na gillean a chluich còmhla dha sgioba Chaol Bhòid a bha a' cur saoghal na camanachd fon casan aig an àm. Ach a bharrachd air an sgil leis a' chaman, bha Tom Nicolson ainmeil an iomadh spòrs eile. Fìor mhath air caireachd agus goilf, 's ann an lùth-chleasachd a b' ainmeile bha e. Bha e fiù math air ball-coise agus chaidh e gu Queen's Park an Glaschu feuch an dèanadh e shaoghal ris a' bhall-coise.

Bha sia troighean an Nicolson agus 175 punnd. Duine dèanta, foghainteach, agus fear a sheasadh ri luchd-catha na h-Eireann agus Aimeireagaidh a bh' aig àrd-ìre na là. 'S ann ri cath na cloiche a b' fheàrr a dhèanadh e sin agus far an do choisinn e am mòr-chliù.

Thòisich Nicolson ann am farpaisean ann an 1901 aig farpais nan AAAs an Alba. Cha robh e fada ged-tà gus an do nochd buaidh na h-obrach air an tuath agus neart an tuathanaich. Nuair a bha e 23, thog e a' phrìomh dhuais a' cath an ùird agus chaidh e air adhart bhon sin ga buinig 19 an sreath a chèile. Bhuinig e a-rithist ann an 1926 agus 1927, agus ann an 1929 - aig aois 50 - bha e anns an dàrna àite.

Roimhe sin, bha Nicolson air e fhèin a dhearbhadh mar fhear de shàr lùth-chleasaichean an t-saoghail. Cha robh duine an Alba a chumadh ceann a' mhaide ris agus ghlèidh e farpais na cloiche agus farpais an ùird aig na AAAs, farpais Bhreatainn gu lèir ann an 1903. Thilg e an t-òrd mòr, anns an robh 16 punnd, 51.72 meatair bho chearcall naoi troighean aig Ibrox.

Uile gu lèir, thog Nicolson a' phrìomh dhuais ann am farpaisean mòra 42 turas, agus tha fhios gu robh an àireamh sin fhèin air a dhol am meud mur biodh a' Chiad Chogadh. Thaobh nan Oilimpigs, nochd e ann an dà ghèam, an toiseach an Lunnainn an 1908, nuair a bha e anns a' cheathramh àite. An 1920, bha e air deireadh a' faighinn chun an raoin an Antwerp, ach bha leithid de chliù aig Nicolson an saoghal spòrs, agus uimhir de dh'fhàilte roimhe, 's gun deach a leigeil dhan fharpais ged a bha e fadalach. Chrìochnaich e san t-siathamh àite is a dheasachadh air a mhilleadh leis an troimhe-chèile a bh' aige a' faighinn chun na pàirce.

Cha robh leithid Nicolson riamh ann an saoghal spòrs nan amateur. Cha do choisinn e sgillinn riamh airson a chuid ghnìomhan ged chaidh a bhràithrean air tòir an airgid gu na Geamaichean Gaidhealach. Tha iaroghaichean dha fhathast ri camanachd an Caol Bhòid. Ach cha deach gnìomhan mòra Nicolson aithneachadh gu cothromach na dhùthaich fhèin.

Chaochail e anns an ospadal an Glaschu ann an 1951, aig aois 71. Dh'adhlaiceadh e an cladh Chille-Brìghde an Aird Laomainn. Cha do nochd aon aithris air a bhàs ann am pàipearan-naidheachd na h-Alba; gnothach bochd, a tha a' dearbhadh nach do thuigear a-riamh, agus nach deach a thomhas gu cothromach, na rinn e ann an saoghal mòr spòrs.

Hendry, *Stephen* (1969-)

Bha Stephen Hendry na phrìomh chluicheadair snucair san t-saoghal airson naoi bliadhna sreath a chèile, gus an do ghabh Albannach eile, John Higgins, àite ann an 1998. Bha Hendry fhèin air àite Steve Davis a ghabhail, a' cur na dithis aca an ceann a chèile agus iad a' strì airson an aithneachadh mar phrìomh chluicheadairean rè nam bliadhnaichean.

Ghlèidh Hendry a' chiad thiotal mòr aige, Ceannas an t-Saoghail, ann an 1990, nuair a rinn e a' chùis air Jimmy White. Agus cha robh sin ach toiseach-tòiseachaidh dha Hendry, a rinn a' chùis a-rithist air White san aon fharpais trì bliadhna sreath a chèile, an 1992, 1993 agus 1994. Tha e air a bhuinig a-nis seachd tursan nas trice na neach sam bith eile. Bha an gèam deireannach ann an 1992 cho math ri gin a chaidh fhaicinn air telebhisean, le White aig aon ìre air thoiseach 14-8, ach thog Hendry air, a' cosnadh deich frèaman sreath a chèile, a' buinig 18-14 air a' cheann thall. An 1994, bhuinig Hendry a-rithist ach le dìreach aon frèam. Bhuinig e a-rithist ann an 1995 agus 1996, ach chaill e sa chuairt dheireannaich an 1997.

On thòisich e a' cluich snucair gu proifeiseanta, tha Hendry air còrr is 60 farpais a bhuinig, agus chlàr e iomadach tomhas ùr san spòrs, nam measg gun do chuir e 100 puing aig a' bhòrd an aon sreath 400 turas. Chuir e 100 puing a chrìochnaich gèam còrr is 500 turas (dhà uimhir 's na rinn Steve Davis), barrachd na rinneadh le neach sam bith eile. Chuir e 147, a h-uile bàlla air a' bhòrd, seachd tursan ann am farpaisean proifeiseanta (rinn Steve Davis sin dìreach aon turas).

Rugadh is thogadh Hendry am Fìobha agus Dun Eideann, agus tha e annasach ann an dòigh is gur e fear dhen luchd-spòrs a thàinig gu ìre an saoghal a chur fodha is nach do dh'fhàg Alba. Tha e air a dhlùth-cheangal ri sgìre Shruighlea agus chaidh sin aithneachadh nuair a chaidh urram onarach a bhuileachadh air le Roinn Spòrs na h-Oilthighe an sin ann an 2000.

Chan eil teagamh nach eil Steve Davis agus Hendry am measg nan cluicheadairean as fheàrr air snucair thar na linne. Tha e air na milleannan a chosnadh (faisg air seachd millean uile gu lèir), agus air ceumannan mòr a ghabhail on chuir a phàrantan roimhe gum bu chòir dha bhith ga chumail fhèin beò aig aois 15 air £10,000. Rinn e uimhir de dh'adhartas gu sgiobalta 's gu robh e, an 1985, aig aois 16, mar an cluicheadair a b' òige riamh a chaidh a leigeil a chluich gu proifeiseanta. Bliadhna an dèidh sin, ghlèidh e a' chiad thiotal aige, mar an cluicheadair proifeiseanta a b' fheàrr an Alba.

Stephen Hendry.

On uair sin, chaidh e air adhart gu trì Farpaisean Dùblachadh Cruinne a bhuinig; agus an 1990, b' e, aig aois 21, an duine a b' òige riamh a ghlèidh farpais an t-Saoghail. 'S e glè bheag de dhaoine ann am spòrs sam bith a th' air an co-fharpaisich a chumail fo smachd thar ùine leithid Hendry. Tha e nas àraide buileach 's dòcha a chionn is gur e fear dhen fheadhainn as urrainn a ràdh gun do ghlèidh e farpais an t-Saoghail mar sgiobair air buidheann à Alba. Ach sna beagan bhliadhnaichean a chaidh, tha e air a bhith follaiseach nach eil na comasan aig Hendry a-nis aig fìor àrd-ìre - gu bheil e gu dearbh air na h-uimhir a dh'ùidh a chall anns an spòrs - a' ciallachadh gu bheil cuid a-nis nas èasgaidh a dhol a dheasbad gu robh Steve Davis na b' fheàrr air a' cheann thall. Bha buaidh mhòr aige air snucair feadh an t-saoghail ged-tà, agus tha gu leòr a-nis a' cluich nach robh air a dhol faisg air bòrd mur biodh na rinn e. Bu bheag an teisteanas sin fhèin air a chuid sgil is cliù.

Davis, *Joe* (1901-1978)

'S e gnothach àraid a th' ann gun do chaochail Joe Davis dìreach mus do ràinig a cho-ainm, Steve Davis, àirde airson a bhith a' cluich snucair, ach bliadhnaichean mus do rinn Steve ainm agus fhortan air a' bhòrd agus air an telebhisean, bha Joe Davis air a bhith na rionnag ann an saoghal spòrs.

B' e Joe Davis a bu mhotha a rinn airson beachdan dhaoine atharrachadh air snucair agus billiards, ged a tha an telebhisean air buaidh a thoirt air a' mhòr-shluagh is gun creidear le cuid gur e Steve a tha airidh air an t-sàr mholadh. 'S e cnag na cùise ged-tà gu robh iad beò aig diofar amannan agus ann an saoghail a bha gu math eadar-dhealaichte, agus le sin, bha beachd dhaoine air na bha an dithis a' dèanamh aig an àm cuideachd gu math eadar-dhealaichte.

Dh'ionnsaich Joe Davis billiards is snucair dha fhèin le bhith ga ghlasadh fhèin ann an seòmar billiards a bh' aig athair os cionn taigh-seinnse a bh' aige an siorrachd Dherby an Sasainn. Agus chaidh e bhon sin gu bhith na chluicheadair a b' fheàrr air feadh an t-saoghail, a' buinig Farpais an t-Saoghail bho 1928 gu 1923 nuair a rinn an cluicheadair Astràilianach, Walter Lindrum, a' chùis air ann an 1933.

Thar nam bliadhnaichean, cha robh aon neach a chumadh ris agus stèidhich e crìochan ùra dhan dà ghèam. Ann am billiards, aon turas, fhuair e 2,501, ach tha e coltach gun deach e seachad air 1,000 ceudan thursan.

Dh'aithnich Davis ged-tà rè ùine gu robh snucair an ìmpis aire dhaoine a tharraing gu ìre nas motha agus mar stiùiriche air grunn thallaichean timcheall air Chesterfield bha e deònach coimhead ri cùisean atharrachadh.

Chaidh aig Davis air farpaisean proifeiseanta fhaighinn a dhol le taic na buidhne riaghlaidh a bh' air a' ghèam aig an àm agus chaidh an tòiseachadh ann an 1926. B' e Davis fhèin a bhuinig, agus cha robh iongnadh mòr sam bith an sin. A' bhliadhna an dèidh sin, fhuair e 100 ann an snucair airson a' chiad turas, agus tha e coltach gun d' fhuair e 687 dhiubh sin fhad 's a bha e a' cluich thar nam bliadhnaichean. 'S e a' chiad duine cuideachd a fhuair 147 aig snucair, an àireamh as àirde a ghabhas faighinn aig aon laighe air a' bhòrd. On uair sin, tha an stoidhle agus na gnìomhan aig Joe Davis air a bhith nan slat-tomhais do chluicheadairean òga an là an-diugh.

Tha e na thomhas air mar a chuir Davis an saoghal fodha gur e ghlèidh farpais an t-saoghail ann an snucair a h-uile bliadhna bho 1927 gu 1946 nuair a rinn a bhràthair Fred a' chùis air. B' e Fred, a rèir aithris, an aon duine a rinn a' chùis air riamh. Gu mì-fhortanach cha do leig eachdraidh leinn faicinn ciamar a bha Steve Davis agus Joe Davis air a bhith anns an aon fharpais, no mar a bha iad air tighinn suas ri na gnìomhan àraid aig Stephen Hendry.

Davis, *Steve* (1957-)

Tha Steve Davis na shamhla cho math 's a th' againn 's dòcha aig deireadh na 20mh linne air an dòigh anns an robh saoghal spòrs, agus beachd a' mhòr-shluaigh air spòrs, ag atharrachadh. Ri linn leasachaidhean telebhisein, agus an dòigh san robh telebhisean le dath comasach air spòrs a lìbhrigeadh, thàinig snucair gu aire a' mhòr-shluaigh. Agus b' e Steve Davis a' chiad fhear a rinn fhortan à snucair, ged a bha a cho-ainm, Joe Davis, air inbhe na b' àirde a thoirt dhan spòrs roimhe.

B' ann anns na 1980an a bha snucair, agus gu dearbha Davis, aig an àirde, agus ann an 1985 nuair a bha Davis a' cluich an aghaidh Dennis Taylor anns a' chuairt dheireannaich de dh'fharpais an t-saoghail, bha 18.5 millean neach gan coimhead air BBC 2. Chaidh an gèam sin chun bhàlla mu dheireadh - am bàlla dubh - agus b' e Taylor a bhuinig. Dh'fhàg na dealbhan ged-tà seallaidhean fìor àraid air spòrs agus aig an àm, cha robh uimhir a dhaoine riamh air a bhith a' coimhead aon phrògram air BBC 2. Chan fhacas, agus 's dòcha nach fhaic, sinn a leithid air telebhisean a-rithist.

'S e glè bheag de dhaoine ann an spòrs sam bith a th' air a h-uile duine eile a chur fodha cho fada, ach sheall Davis gu robh e gu math comasach agus sgileil ann an saoghal malairt a-mach bho na bùird far an robh e uile-chumhachdach airson ùine mhòir. Ghlèidh e tiotal an UK sia tursan uile gu lèir agus na Masters ceithir tursan, ach 's ann am farpais an t-saoghail a rinn e ainm agus fhortan.

Bhuinig e sin an toiseach an 1981, agus an uair sin ann an 1983 agus 1984, agus na trì bliadhna 1987, 1988 agus 1989. Anns na ceithir bliadhna an dèidh sin, bha e anns an iar-chuairt mu dheireadh, ach an uair sin, chaidh aig cluicheadairean òga eile air làmh an uachdair fhaighinn air.

Tha ceist air cuid an e spòrs a bha riamh ann an snucair, ach thug leithid Davis agus am BBC air daoine coimhead air an t-saoghal às an do dh'èirich an spòrs, ann an sealladh gu tur ùr. Bha companaidhean deònach airgead mòr a dhòrtadh dhan spòrs agus companaidhean telebhisein deònach clàir-là a chur an dàrna taobh agus iad air an dalladh le na bàllaichean.

Còmhla ris an fhortan agus a' chliù a bhuinig Davis dha fhèin, bha saoghal anns nach robh e buileach cho cofhurtail an toiseach, gus an do thuig e na cothroman a bha na lùib. Chaidh atharrais a dhèanamh air leis a' phrògram *Spitting Image* agus iad a' gabhail air nach robh ann ach fear le aon taobh agus nach robh càil inntinneach mu dheidhinn. Ach thug Davis a' char às a h-uile duine agus e a' tighinn beò air an t-samhla a chruthaich *Spitting Image* dheth mar Steve 'Interesting' Davis. Chaidh e cho fada fiù 's gun do sgrìobh e leabhar *How to be Really Interesting* ann an 1988. Agus chaidh aige air a shaoghal fhèin a leudachadh gu mòr a-mach bho snucair a-mhàin gu saoghal malairt is telebhisein. Cha do thòisich Davis a' cluich snucair gu proifeiseanta ach ann an 1978. Anns na 1980an ged-tà, 's dòcha nach robh aon neach-spòrs anns an dùthaich a bha cho ainmeil ri Davis agus chaidh sin aithneachadh le duais a' phobaill tron BhBC ann an 1988.

Ma bha Davis soirbheachail, thug sin dreach ùr air an spòrs agus chaidh iomadach cluicheadair eile a tharraing chun gheama a' sireadh an airgid agus an fhortain a rinn Davis. 'S e glè bheag dhiubh a chaidh cho fada ris ach bu chòir dhaibh uile gu ìre mhòir a bhith taingeil airson na rinn e fhèin agus mar thug e daoine leis. Fhuair e an MBE mar chomharradh air na rinn e do shnucair ann an 1988.

Wilkie, *David* (1954-)

Dìreach mar a bha lùth-chleasaichean Bhreatainn, agus gu sònraichte Coe, Ovett agus Cram a' dùsgadh aire a' mhòr-shluaigh gu na bha iad fhèin a' dèanamh, chaidh aig David Wilkie air an aon rud a dhèanamh san amar-snàimh. Breatannach, ann an dòigh, fear a rugadh agus a thogadh ann an Sri Lanka far a robh a phàrantan a' fuireach. Agus bha Wilkie mar chiad fhear de thriùir a choisinn mòr-chliù san amar.

B' e Wilkie a' chiad fhireannach a choisnn Bonn Oir san amar do Bhreatainn bho 1920, nuair a bhuinig e ann am Montreal an 1976. Uile gu lèir choisinn e dà Bhonn Airgid cuideachd, a' togail air a' cheann thall barrachd na rinn Duncan Goodhew agus Adrian Moorhouse na dhèidh.

'S ann an Geamaichean a' Cho-Fhlaitheis a rinn Wilkie ainm an toiseach agus e anns an treas àite ann an 1970, agus nuair a bhuinig e a' chiad Bhonn Airgid Oilimpigeach aige ann an 1972, ghlèidh e duais sgoilearachd anns na Stàitean Aonaichte far an deach e a thrèanadh aig Oilthigh Mhiami.

Ann a bhith a' deisealachadh airson geamaichean 1976, choisinn e dà phrìomh dhuais aig Farpaisean an t-Saoghail, agus b' e cuideachd sàr neach-snàimh na Roinn Eòrpa agus a' Cho-Fhlaitheis le sràc-broillich. Am measg nan duaisean iomraiteach eile a bhuinig e bha tiotal nàiseanta nan Stàitean Aonaichte fhèin, agus b' e seo a' chiad turas riamh a bha Breatannach air sin a bhuinig.

Nuair a ghlèidh e am Bonn Oir ann an 1976, thug e trì diogan slàn far na crìche clàraichte - ùine mhòr ann an aon rèis snàimh thar 200 meatair. Dh'fhàg e iomadach neach-snàimh cumhachdach na dhèidh an là sin agus b' e an aon neach Eòrpach a bhuinig Bonn Oir san amar aig na Gèamaichean sin. Là no dha an dèidh sin fhuair e am Bonn Airgid anns an rèis thar 100 meatair.

Airson bliadhnaichean às dèidh sin b' e Wilkie ìomhaigh snàimh am Breatainn. Chuir e ainm ri iomadach innleachd coidsidh agus bha e gu mòr an sàs an trèanadh òigridh ged nach do ràinig cus am Breatainn an ìre agus a' bhuaidh a nochd e fhèin san amar. Chan eil ach an triùir fhireannach fhathast a bhuinig Buinn Oir o na 1920an.

David Wilkie.